APOLOGIE DE DAVID

SOURCES CHRÉTIENNES

Fondateurs : H. de Lubac, s.j., et † J. Daniélou, s.j.
Directeur : C. Mondésert, s.j.

N° 239

AMBROISE DE MILAN
APOLOGIE DE DAVID

INTRODUCTION, TEXTE LATIN, NOTES ET INDEX
par
Pierre HADOT
Directeur d'Études à l'École Pratique des Hautes Études

TRADUCTION
par
Marius CORDIER
Agrégé de l'Université

*Ouvrage publié avec le concours du Centre National
de la Recherche Scientifique*

LES ÉDITIONS DU CERF
29, Bd de Latour-Maubourg — PARIS
1977

*L'édition de cet ouvrage a été préparée
avec le concours de l'Institut des « Sources Chrétiennes »
(E.R.A. 645)*

INTRODUCTION

Chapitre I

LE GENRE LITTÉRAIRE

1. Apologia : une plaidoirie

Dans sa forme extérieure, l'ouvrage se présente comme une plaidoirie, dans laquelle Ambroise cherche à excuser le double crime d'adultère et de meurtre commis par David, lorsqu'il fut séduit par la beauté de Bersabée[1]. Ce plaidoyer comporte deux parties. Tout d'abord Ambroise lui-même plaide pour David en faisant valoir ce qui justifie ou excuse son péché (§§ 1-40). Puis David lui-même entre en scène. Commenté par Ambroise, le psaume 50, dans lequel David confessa sa faute et implora son pardon, devient le plaidoyer de David lui-même (§§ 41-85).

Les deux plaidoyers, celui d'Ambroise et celui de David, se conforment aux règles traditionnelles de la rhétorique. Dans le cas présent, il n'est pas possible de nier la réalité des faits ou leur caractère délictueux. David a bien fait tuer Urie et il a bien commis l'adultère avec Bersabée. L'avocat se trouve donc dans le pire des « états de cause », celui de la *qualitas assumptiua*[2], dans lequel il lui faut chercher en dehors du fait

---

1. J'emploie la graphie «Bersabée», au lieu de «Bethsabée», pour rester en harmonie avec le texte latin et la traduction de l'*Apologia*.

2. Cf. H. Lausberg, *Handbuch der literarischen Rhetorik*, Munich 1960, § 177, p. 98 s.

litigieux lui-même des arguments capables de défendre son client, puisque de toute manière on ne peut nier qu'il soit coupable. Il lui faut alors implorer le pardon des juges, c'est la *deprecatio* ; il lui faut essayer de minimiser la responsabilité du coupable en invoquant l'ignorance ou le hasard ou la nécessité, c'est la *purgatio*. *Deprecatio* et *purgatio* sont les deux formes de la *concessio*, c'est-à-dire de l'aveu, de la confession, seule attitude possible dans une telle situation[3].

Dans son plaidoyer pour David, Ambroise utilise donc les lieux communs traditionnels de la *deprecatio*. David, dit-il, n'a commis qu'une faute, alors qu'il a accompli une multitude de bonnes actions[4]. Il s'est aussi repenti abondamment de cette chute exceptionnelle[5]. Tout le reste de sa vie a montré que son péché n'avait été qu'un égarement passager[6]. Et d'ailleurs dans sa faute même, il n'a pas agi par haine ou par cruauté[7], de même que, dans l'exercice du pouvoir, il a toujours été miséricordieux et porté à l'indulgence[8]. Dans ce plaidoyer, on peut

---

3. CICÉRON, *De inuent.*, I, 11, 15 : « *Concessio* est cum reus non id quod factum est defendit, sed ut ignoscatur postulat ; haec in duas partes diuiditur : *purgationem* et *deprecationem*. » Sur la *deprecatio*, cf. CICÉRON, *De inuent.*, II, 34, 104 : « *Deprecatio* est in qua non defensio facti sed ignoscendi postulatio continetur. » Sur la *purgatio*, cf. *ibid.*, II, 31, 94 : « *Purgatio* est per quam eius qui accusatur non factum ipsum sed uoluntas defenditur. Ea habet partes tres : inprudentiam, casum, necessitatem. »

4. *Apologia Dauid*, §§ 4.6.26. Comparer avec CICÉRON, *De inuent.*, II, 34, 104 : « Quodsi, iudices, hic pro suis beneficiis, pro suo studio, quod in uos semper habuit, tali suo tempore *multorum suorum recte factorum* causa *uni delicto* ut ignosceretis postularet... » ; II, 35, 106 : « Oportebit igitur eum qui sibi ut ignoscatur postulabit commemorare si qua sua poterit beneficia et si poterit ostendere ea *maiora esse* quam haec quae deliquerit... »

5. *Apologia Dauid*, §§ 5.6.25. Cf. CICÉRON, *De inuent.*, II, 35, 106, et QUINTILIEN, *Instit.*, VII, 4, 18 et XI, 1, 81.

6. *Apologia Dauid*, §§ 4.40. Cf. CICÉRON, *De inuent.*, II, 35, 106 : « Aut stultitia aut inpulsu alicuius. »

7. *Apologia Dauid*, §§ 36.40. Cf. CICÉRON, *De inuent.*, II, 35, 106 : « Non odio neque crudelitate fecisse quod fecerit. »

8. *Apologia Dauid*, §§ 29.30-32.38. Cf. CICÉRON, *De inuent.*, II, 34, 107 : « Ac multum proficiet si se misericordem in potestate, propensum ad ignoscendum fuisse ostendet. »

reconnaître aussi un essai de *purgatio*, ce sont les *allegationes* dont parle le § 15. Une nécessité extérieure est intervenue : le péché de David *devait* se produire, tout d'abord en raison de la fragilité humaine[9], mais surtout par la volonté de Dieu qui voulait montrer aux hommes que la perfection des saints est imitable et qu'elle dépend entièrement de la grâce divine[10]. Par-dessus tout, le péché de David avait sa place nécessaire dans l'économie divine, dans laquelle il se situe comme une figure particulière du mystère du salut[11]. Dans le plaidoyer de David lui-même, le *Miserere*, on retrouve de toute évidence une *deprecatio* dans laquelle David confesse sa faute et en implore le pardon, et aussi une *purgatio* qui replace son péché dans l'économie du salut[12].

2. Une exégèse du psaume 50

Cette forme rhétorique ne doit pourtant pas égarer le lecteur. L'*Apologia* n'est pas un exercice de rhétorique. C'est en fait une exégèse du psaume 50. Le fait est évidemment indiscutable en ce qui concerne les §§ 41-85 qui commentent verset par verset le *Miserere* : c'est la partie qu'Ambroise présente comme le plaidoyer de David pour lui-même. Mais la première partie, le plaidoyer d'Ambroise pour David (§§ 1-40), appartient aussi

---

9. *Apologia Dauid*, §§ 16-19. Cf. CICÉRON, *De inuent.*, II, 33, 101 : « Suo nomine *communem hominum infirmitatem* posse damnari » ; II, 33, 102 : « Defensoris conquestio est calamitatis eius quae non culpa sed ui maiore quadam acciderit et de fortunae potestate et *hominum infirmitate* et uti suum animum, non euentum considerent. »

10. *Apologia Dauid*, §§ 2-9.

11. *Apologia Dauid*, §§ 10-14 et 20-23 (ce sont les *allegationes ualidae* du § 15). Ce mode d'argumentation se rapproche beaucoup de la *comparatio* ; cf. QUINTILIEN, *Instit.*, VII, 4, 9 : « Factum defenditur... *ex aliqua utilitate* aut rei publicae aut hominum multorum. »

12. *Deprecatio* : §§ 43-57. *Purgatio* : §§ 58-85, notamment § 81 : « Quomodo igitur in typo eius mysterii peccatum inputari potest cum de ipso mysterio sit remissio peccatorum ? »

au même genre littéraire exégétique. C'est l'étude des sources de l'*Apologia* qui nous permet de l'affirmer. Elle nous apprend en effet d'une part que le commentaire verset par verset du psaume 50 (§§ 41-85) est en grande partie inspiré, sinon traduit, des commentaires de Didyme et d'Origène sur ce même psaume 50, d'autre part que les premiers chapitres de l'*Apologia* (§§ 2-9) sont une paraphrase du prologue que Didyme avait placé au début de son commentaire de ce psaume[13].

Ainsi, dès les premières pages de l'ouvrage, Ambroise se trouve donc dans la situation d'un commentateur des Psaumes. Le plaidoyer pour David faisait précisément l'objet du prologue de Didyme. Il développait les points suivants qui sont repris par Ambroise. Nous ne devons pas juger celui que Dieu a justifié[14]. Dans son long règne, David a été exposé à de nombreuses tentations, mais il n'a succombé qu'une fois en commettant cette faute contre Urie et Bersabée (à laquelle il faut ajouter l'erreur du dénombrement de son peuple)[15]. De cette faute isolée, David s'est repenti immédiatement, bien que ce soit un simple particulier qui ait osé le réprimander[16]. Et il s'est relevé tout de suite après sa chute. Il a repris immédiatement la « course » du salut[17]. D'une manière générale, les fautes des saints sont permises par la Providence divine : si nous ne les voyions quelquefois tomber, nous croirions qu'ils sont de nature divine et qu'ils sont impeccables. Par leur vie habituelle, ils sont pour nous une leçon de vertu, par leur repentir après leurs fautes passagères, ils sont pour nous une leçon de pénitence[18].

---

13. Cf. P. HADOT, « Une source de l'*Apologia Dauid* d'Ambroise : les commentaires de Didyme et d'Origène sur le psaume 50 », dans *Revue des sciences philosophiques et théologiques*, t. 60, 1976, p. 205-225. On trouvera la traduction des textes de Didyme et d'Origène dans les notes de la traduction de l'*Apologia*, et le texte grec correspondant dans l'Appendice I.

14. *Apologia Dauid*, § 3 (voir les notes de la traduction, p. 72).

15. *Ibid.*, § 4.

16. *Ibid.*, § 5.

17. *Ibid.*, § 6.

18. *Ibid.*, § 7.

Si les saints ne commettaient jamais de faute, ils pourraient croire que leurs vertus sont l'œuvre de leurs propres forces et qu'ils n'ont pas besoin de la grâce de Dieu[19]. Ce plaidoyer continue dans les §§ 9-40, sans que l'on puisse déceler ses sources : nous ne possédons pas de parallèle dans les fragments de Didyme. Mais Ambroise reste fidèle au thème du prologue. Il continue à justifier la faute de David. Elle est un témoignage de la fragilité humaine (§§ 15-19) ; surtout Dieu l'a voulue comme figure annonçant le mystère du salut : la vocation des Gentils (§§10-14) et l'union du Verbe avec la nature humaine (§§ 20-21). Enfin la faute de David est compensée par le contrepoids de ses bonnes œuvres (§§ 24-40). L'ensemble des §§ 1-40 se trouve donc, par rapport au commentaire verset par verset, dans la même situation que le prologue de Didyme.

Le prologue de Didyme et le plaidoyer d'Ambroise pour David se rapportent très précisément au titre du psaume 50 : « Psaume de David, lorsque vint vers lui le prophète Nathan, après qu'il se fut uni à Bersabée ». Ce titre rattache le psaume à un événement précis de la vie de David dont la signification providentielle et typologique demande à être élucidée. Ce commentaire du titre du psaume donne en même temps l'occasion d'une étude approfondie des problèmes théologiques posés par la faute de David et par le repentir qui s'exprime dans le psaume.

Il apparaît donc que, d'un bout à l'autre, l'*Apologia* est une exégèse du psaume 50. Une petit détail le confirme. Au § 36, donc dans la première partie de l'ouvrage (le plaidoyer d'Ambroise pour David), nous voyons Ambroise citer le psaume 25, en le désignant par l'expression *supra* : « plus haut[20] ». Une telle tournure ne peut avoir de sens que pour un commentateur

---

19. *Ibid.*, § 8.
20. *Apologia Dauid*, § 36 : « Dixerat enim supra : Proba me domine et tempta me... »

des Psaumes[21] qui, d'une part, considère l'ensemble des psaumes comme une unité, et d'autre part, se situe, pour citer les autres psaumes, dans la perspective de celui qu'il est en train de commenter. Employé à propos du psaume 25, le mot *supra* se justifie si on se situe à la place du psaume 50, dans le Livre des Psaumes. Il faut donc admettre que les §§ 1-40 constituent un long prologue au commentaire verset par verset qui s'étend sur les §§ 41-85. L'*Apologia Dauid* appartient donc au genre littéraire exégétique.

3. Une homélie exégétique

L'*Apologia Dauid* ne doit pourtant pas être considérée comme un commentaire purement livresque[22]. C'est une homélie, un sermon qui a été prononcé devant le peuple chrétien, comme il apparaît clairement au § 20 : « Et il n'y a pas de dissonance, semble-t-il, entre la parabole et la figure. Qui est, en effet, le riche, si ce n'est Jésus, notre Seigneur, qui dit de lui-même, comme on l'a lu aujourd'hui : Un homme, qui était riche, partit pour un pays lointain, afin d'y recevoir la royauté et revenir ensuite. » Nous avons ici une allusion aux lectures liturgiques faites le jour où cette homélie a été prononcée. « On lit d'abord le prophète (c'est-à-dire l'Ancien Testament), puis l'Apôtre, puis l'Évangile », précise quelque part Ambroise[23]. Ce jour-là on a donc lu un texte de l'Ancien Testament, puis

---

21. On retrouve cette formule par exemple au § 80 : « Denique supra ait : Holocausta etiam pro peccato non postulasti... » pour citer le psaume 39, 7-8. Même expression au § 59 à propos du psaume 22.

22. Nous rencontrons ici la distinction constante depuis Origène entre l'homélie exégétique et le commentaire savant.

23. *Exp. Ps. CXVIII*, 17, 10. Dans la *Lettre* 41, on voit que le jour où Ambroise s'est opposé publiquement à Théodose à propos de l'affaire de Kallinikon, on avait lu à l'office divin tout d'abord un passage de l'Ancien Testament (*in libro prophetico*) : *Jér.* 1, 11, un texte de l'« Apôtre », dont Ambroise ne parle pas, et un texte évangélique : *Lc* 7, 37.

un passage d'une épître et enfin la parabole des mines ; et dans son homélie, Ambroise a commenté le psaume 50 et fait une rapide allusion au texte évangélique.

Nous retrouvons de telles allusions aux lectures liturgiques du jour en divers endroits des commentaires d'Ambroise sur les psaumes[24]. Par exemple, dans l'*Expositio Psalmi CXVIII*, une des homélies a été prononcée le jour de l'invention des reliques des saints Gervais et Protais[25] et l'on a lu à l'Évangile, nous dit Ambroise, le texte « Ecce ego mitto uos sicut agnos in medio luporum (*Matth.* 10, 16 ; *Lc* 10, 3) ». Une autre homélie a été prononcée le jour de la Saint-Sébastien[26] et l'on a lu un passage de l'évangile de Jean (5, 30). Dans d'autres homélies, Ambroise fait allusion aux lectures du jour tirées de l'Ancien Testament[27] (*Sag.* 14, 7-8 ; *I Sam.* 17, 34) ou de l'« Apôtre[28] » (*Rom.* 6, 10) ou de l'Évangile[29] (*Lc* 5, 12-13). Il en va de même pour l'*Explanatio Psalmorum XII*. Ambroise y parle de lectures tirées de l'Évangile[30] (*Jn* 3, 23) ou de l'Ancien Testament[31] (*Is.* 50, 2). On constate même que le jour où Ambroise prononce une homélie sur les psaumes 1 ou 36 ou 118, on a lu[32], pen-

---

24. Cf. M. PETSCHENIG, dans *C.S.E.L.*, t. 62, pars quinta, p. v, n. 1.

25. *Exp. Ps. CXVIII*, 6, 16 : « Celebramus enim diem sanctorum, quo reuelata sunt populis corpora sanctorum martyrum. » Et *ibid.*, 6, 16 : « Pulchre lectum est hodie : Ecce ego mitto uos... »

26. *Ibid.*, 20, 44 : « Vtamur exemplo Sebastiani martyris, cuius hodie natalis est. » L'allusion à la lecture du jour se trouve en 20,31 : « Audisti hodie quid iudex uerus et iustus locutus sit. »

27. *Ibid.*, 8,23 ; 14,4.

28. *Ibid.*, 18, 42.

29. *Ibid.*, 3, 29.

30. *Expl. Ps. XII*, 37, 3.

31. *Ibid.*, 35, 20.

32. *Ibid.*, 36, 2 : « Atque iste (*sc.* psalmus) qui nobis hodierna lectione propositus est » ; 1, 32 : « Audisti hodie dicentem prophetam : Potasti nos uino compunctionis (*Ps.* 59, 5). » Voir également *Exp. Ps. CXVIII*, 5, 4 : « Et ideo bene lectum est hodie : Quid retribuam domino (*Ps.* 115, 3). » Il s'agit dans ces trois textes, de lecture liturgique. Dans un autre passage (*Expl. Ps. XII*, 45, 15), il s'agit d'un chant : « Illud quod hodie in psalmi responsorio decantatum est... »

dant l'office, des passages du Psautier différents de ceux qui
vont être commentés dans l'homélie[33].

Ces suites d'homélies qui constituent l'*Expositio Psalmi
CXVIII*, l'*Explanatio Psalmorum XII* et aussi l'*Expositio
Euangelii secundum Lucam* nous révèlent donc qu'Ambroise
usait de beaucoup de liberté dans le choix du thème de ses
homélies. Tantôt il s'attachait à l'explication des lectures qui
avaient été faites pendant l'office du jour[34], tantôt il se conten-
tait d'une brève allusion à ces lectures et il se consacrait à
l'explication d'un passage de l'Écriture tout à fait différent,
quelquefois même, il ne faisait aucune allusion aux textes
liturgiques[35]. On pourrait penser au moins qu'Ambroise s'est
astreint à commenter d'une manière continue pendant telle
ou telle partie de l'année liturgique un livre de l'Écriture bien
déterminé : le Psautier ou l'évangile de Luc. Mais en fait il n'en
est rien[36]. Les homélies se rapportant à ces livres de l'Écriture
ont été prononcées à des moments très différents qui se répar-
tissent sur plusieurs années et l'ordre dans lequel elles ont été
prononcées ne coïncide pas toujours avec l'ordre des psaumes
ou des chapitres de l'évangile[37]. C'est seulement au moment de
la rédaction définitive que ces homélies ont été mises en ordre.

---

33. On trouve des traces analogues de lectures liturgiques et donc de prédication dans l'*Exp. Eu. sec. Lucam*, VII, 202 ; VIII, 73 (« Pulchre mihi hodie
legitur legis exordium quando mei natalis est sacerdotii ») et dans beaucoup
d'autres œuvres d'Ambroise.

34. C'est le cas du sermon prononcé devant Théodose et rapporté dans la
Lettre 41 (cf. plus haut n. 23). Ce qui n'empêche pas Théodose de dire à Ambroise à la fin du sermon (§ 27) : « De nobis proposuisti », c'est-à-dire : C'est
sur moi que tu as prêché. Ambroise a su habilement adapter le sens des lectures
du jour à la situation. — Je laisse aux historiens de la liturgie le problème
complexe du programme annuel des lectures liturgiques.

35. Par exemple, *Exp. Eu. sec. Lucam*, VII, 48, où l'on trouve bien la trace
d'un sermon (*hodierno tractatu*), mais sans allusion aux lectures du jour.

36. C. Schenkl, dans *C.S.E.L.*, t. 32, pars quarta, p. II, à propos de l'*Exp.
Eu. sec. Lucam* ; G. Tissot, dans *SC* 45, Paris 1956, p. 11 s., à propos du *Traité
sur l'évangile de saint Luc*.

37. Cf. M. Petschenig, dans *C.S.E.L.*, t. 62, pars quinta, p. VI. On remarque
par exemple que l'homélie sur le psaume 61 a dû être prononcée ou rédigée

Quoi qu'il en soit, il est intéressant de constater qu'Ambroise s'est attaché à commenter un grand nombre de psaumes : les psaumes 1, 35, 36, 37, 38, 39, 40, 43, 45, 47, 48, 61 dans l'*Explanatio Psalmorum XII*, le psaume 118, dans les vingt-deux homélies de l'*Expositio Psalmi CXVIII*. Il faut ajouter à cette liste les homélies sur le psaume 41 et sur le psaume 73 contenues dans le *De interpellatione Iob et Dauid* (ces psaumes 41 et 73 se trouvent placés, dans le Psautier, au début du deuxième et du troisième livre) ainsi que l'homélie sur le psaume 50 qui constitue l'*Apologia Dauid*[38].

4. Une homélie « réécrite »

Nous retrouvons, avec l'*Apologia Dauid*, le problème complexe du passage du sermon parlé au sermon rédigé et revu pour la publication[39]. Quel rapport existe-t-il exactement entre les notes prises par Ambroise pour préparer son homélie, la sténographie de son discours et l'effort de composition littéraire apporté au moment de la rédaction définitive ? Il est extrêmement difficile de le déceler dans l'*Apologia*. Ses différentes parties se répondent d'une manière très harmonieuse, comme nous allons le voir en étudiant son plan. Ambroise s'est tout parti-

peu de temps après la défaite de l'usurpateur Maxime (388), alors que l'homélie sur le psaume 36 fait allusion à la guerre entre Théodose et Eugène (394).

38. L'*Apologia* et le *De interpellatione* présentent une certaine analogie de forme littéraire, en ce sens que, dans les deux œuvres, l'exégèse des psaumes est insérée dans un cadre rhétorique plus général : celui du plaidoyer, dans l'*Apologia*, celui de l'*interpellatio*, c'est-à-dire de la protestation, dans le *De interpellatione*. Ambroise, dans les deux cas, a cherché à corriger l'inévitable dispersion qu'engendre le commentaire verset par verset, à l'aide d'une perspective dominante et unifiante.

39. Sur le passage du « sermon parlé » à l'œuvre écrite, cf. les réflexions et la bibliographie présentées par P. COURCELLE, « La littérature latine d'époque patristique. Direction de recherches », dans *Actes du Ier Congrès de la Fédération internationale des Associations d'études classiques*, Paris 1951, p. 297 (et notes 3-5). Cf. également G. TISSOT, dans *SC 45*, p. 11-14.

culièrement appliqué à cette rédaction ; ce soin s'explique peut-être par la destination de l'écrit, si l'on admet la valeur de la dédicace à Théodose. Les seuls vestiges de l'homélie primitive sont reconnaissables dans les §§ 20-23 où l'on trouve les allusions aux lectures liturgiques du jour. Pour le reste, l'on est réduit à se poser des questions : Ambroise s'est-il inspiré déjà de Didyme et d'Origène en prononçant son homélie ou bien a-t-il utilisé ces documents lors de la rédaction définitive ? Y a-t-il eu deux sermons parlés, l'un sur le titre du psaume 50, l'autre sur l'exégèse de ce psaume verset par verset ? Peut-être une étude attentive du style et du vocabulaire permettra-t-elle dans l'avenir de les résoudre[40].

40. Un modèle d'une étude de ce genre est fourni par G. NAUROY, « La méthode de composition et la structure du *De Iacob et uita beata* », dans *Ambroise de Milan, XVIᵉ centenaire de son élection épiscopale*, Dix études rassemblées par Y.-M. DUVAL, Paris 1974, p. 128 s.

Chapitre II

LE PLAN ET LES THÈMES

1. Le plaidoyer pour David (§§ 1-40)

Les §§ 1-2 nous situent d'emblée dans la perspective de la rédaction écrite : « Apologiam prophetae Dauid praesenti adripuimus stilo scribere. » Ambroise rappelle brièvement le récit de l'adultère de David et de l'assassinat d'Urie tels qu'ils sont racontés au livre II de *Samuel*, dans la mesure où ils expliquent le titre du psaume 50. Si Ambroise a voulu écrire ce plaidoyer pour David, c'est parce que beaucoup de gens sont scandalisés de voir que ce saint homme a commis de telles fautes.

Les §§ 3-8 sont inspirés, nous l'avons vu plus haut, du prologue du commentaire de Didyme sur le psaume 50. C'est effectivement un plaidoyer pour David : le péché de David y apparaît justifié par sa signification morale. Le § 9 est un complément des §§ 3-8 ; on y trouve une autre raison providentielle qui excuse les fautes des saints : Dieu veut éprouver les saints de multiples manières et les exercer au repentir. Bien que l'on ne trouve pas de parallèle à ce § 9 dans le prologue de Didyme, il doit, à cause de son contenu, être rattaché à l'ensemble formé par les §§ 3-8.

Les §§ 10-23 forment un tout cohérent : ils présentent une interprétation typologique de l'adultère de David. Seuls les §§ 15-19 forment une courte parenthèse dans cet ensemble, mais ils n'en sont pas moins, comme nous le verrons, intimement liés aux §§ 10-23. Le centre de cette unité littéraire se trouve au

§ 14 : « Qu'est-ce donc qui nous empêche de croire que Bersabée, elle aussi, unie au saint David, ne l'ait été en figure afin de signifier l'Église des nations ? » Ainsi l'adultère de David a été permis par Dieu pour que soient figurées l'abolition de l'Ancienne Alliance entre Dieu et le peuple juif et la fondation de la Nouvelle Alliance entre le Christ et le peuple païen.

La transition entre les §§ 3-9 consacrés à la signification morale de la faute de David et les §§ 10-23 exposant sa signification typologique est assurée aux §§ 10-11 par l'évocation du texte de *I Cor.* 10, 11 : « Haec autem in figura facta sunt illis ad nostram correctionem. » On y trouve liées, en effet, les deux notions de *correctio* et de *figura*. Dans les §§ 3-9, la faute de David servait à notre *correctio* et dans les §§ 10-23, elle va apparaître comme *figura*. On pourrait penser que c'est une excuse bien faible et tout à fait misérable pour le crime de David que de dire qu'il a été permis pour notre correction, pour notre amendement (§ 10). Mais c'est pour cela aussi que le Christ s'est fait « péché » (§ 10). Et surtout ces événements sont arrivés « en figure », pour représenter à l'avance le mystère du salut. Ambroise énumère un certain nombre de ces figures de l'Ancien Testament. Tout d'abord, l'histoire du serpent d'airain (introduite par la citation de *I Cor.* 10, 11 dont nous venons de parler) figurait le mystère de la croix (§ 11). Ensuite nous trouvons des figures de l'Ancienne et de la Nouvelle Alliance dans les enfants des femmes d'Abraham, de Jacob et de Juda (§ 11). Thamar, qui donne deux jumeaux à son beau-père Juda, apparaît dans la généalogie du Christ, à côté de Bersabée[41]. Viennent ensuite les figures du Christ lui-même : Joseph, et David (§ 12). Salomon qui termine cette énumération apparaît plutôt comme un exemple de la fragilité humaine (§ 13). Tous ces exemples permettent de mieux comprendre la notion de « figure » et d'admettre que l'histoire de l'adultère ait pu servir

---

41. Sur la signification des deux fils de Thamar, cf. plus bas, n. 17-19 de la traduction de l'*Apologia* et l'Appendice II.

de figure annonçant le mystère du salut, c'est-à-dire très précisément la vocation des Gentils (§ 14) et l'union du Verbe avec la nature humaine (§§ 20-23).

Le début du § 15 résume excellemment ce développement et sa signification : « Distinximus allegationes ualidas... et in figura fuisse textum huius historiae comprobauimus. » Les §§ 15-19 laissent de côté cette interprétation typologique (*exutum spiritalibus indumentis*) et reviennent (*nunc superiora repetamus*) à l'interprétation morale de la faute de David qui avait été donnée dans les §§ 3-9 inspirés par le prologue de Didyme. Toutefois les §§ 15-19 sont assez différents des §§ 3-9 et intimement liés avec les §§ 10-14. Le thème de la fragilité humaine, qui excuse le péché de David, est illustré par des exemples tirés eux aussi de l'histoire biblique (Samson, Jephté, Aaron et Marie) qui font pendant aux exemples énumérés dans les §§ 10-14 à l'appui de l'interprétation typologique. D'ailleurs ces exemples sont tellement apparentés qu'ils sont en quelque sorte interchangeables. La figure de Salomon, présentée comme typologique au § 13, pourrait aussi bien, étant donné le commentaire qu'en donne Ambroise, prendre place au § 16 comme illustration de la faiblesse humaine, tandis que l'histoire d'Aaron et de Marie, qui fait partie du catalogue des pécheurs célèbres (§ 17) pourrait tout aussi bien apparaître au § 13, puisqu'Ambroise y trouve avant tout le thème du mariage de Moïse avec une femme étrangère, donc le type du mystère de la vocation du « peuple des nations », le mystère même figuré par Bersabée.

On trouve peut-être dans ce retour au thème du mystère une habile transition pour la réintroduction du *leitmotiv* qui va être désormais magnifiquement orchestré dans les §§ 20-23. Ambroise rapproche la parabole des mines (*Lc* 19, 12) lue pendant l'office le jour où il a prononcé son homélie[42] et l'apologue par lequel le

---

42. Dans l'*Exp. Eu. sec. Lucam*, VIII, 91-95, la parabole des mines est commentée très rapidement, dans une perspective tout à fait différente et

prophète Nathan a fait comprendre à David l'étendue de sa
faute (*II Sam.* 11-12). Le riche de l'apologue de Nathan et
le riche de la parabole des mines figurent le Verbe divin. Le pauvre
de l'apologue de Nathan, c'est-à-dire Urie, le mari de Bersabée,
n'est autre que Satan. La brebis du pauvre, assimilée à la brebis
égarée de l'Évangile, c'est Bersabée, c'est-à-dire la nature
humaine déchue, qui appartient au démon, comme Bersabée
appartenait à Urie. L'homme riche, c'est-à-dire le Verbe, a
donc pris la brebis du pauvre, c'est-à-dire qu'il a assumé un
corps humain. Il a immolé, puis restitué la brebis, c'est-à-dire
qu'il a accompli les mystères de la Passion et de la Résurrection.
Cette exégèse typologique présentée dans les §§ 20-23 est assez
différente de celle qui avait été présentée dans le § 14. Au § 14,
Bersabée était la figure de l'Église des nations, au § 20, elle est la
nature humaine du Christ. Mais au § 20 comme au § 14, David est
la figure du Christ et Urie celle de Satan. La conversion de
David est liée à la vision prophétique par laquelle il entrevoit
que son union avec Bersabée est le type du mystère du Christ et
de l'Église et que sa pénitence va être une préfiguration de
la rémission des péchés et du don de la grâce (§ 23). Cette vision
prophétique sera, dans le commentaire littéral du psaume 50
(§§ 41-85), le contenu essentiel du poème de David.

Les §§ 24-40 tracent un portrait de la perfection morale
de David. Ambroise relie habilement ce thème au thème fondamental du plaidoyer pour David en faisant appel au texte
scripturaire : « L'amour couvre une multitude de péchés[43]. »
Les bonnes œuvres de David qui nous sont racontées dans la
Bible, ses vertus exemplaires, ont « couvert » l'unique faute
qu'il ait commise. Ambroise fait un portrait extrêmement vivant
des vertus de David : son courage, son respect de l'autorité
royale, son respect de la religion, sa miséricorde, sa patience,

---

d'une manière qui correspond plutôt à une rédaction écrite qu'à une prédication
(notamment au § 95, citation du traité d'Ambroise, *De fide*).

43. *I Pierre*, 4, 8. Cf. plus bas, n. 65.

sa tempérance, son horreur de la cruauté, sa confiance en Dieu, l'amour qu'il avait pour son peuple. Ce thème des vertus de David revient souvent, avec prédilection, semble-t-il, dans l'œuvre d'Ambroise, surtout dans le *De officiis* où sont décrits également son courage, sa patience, sa mansuétude, son sens du devoir[44], mais aussi dans d'autres ouvrages[45] où sa tempérance, son attitude devant la mort sont données en modèle. On peut se demander si ce portrait du prince idéal que tracent les §§ 24-40 n'a pas été esquissé tout spécialement à l'intention de l'empereur Théodose. Nous aurons à reposer cette question en examinant le problème de la dédicace de l'ouvrage.

2. Le plaidoyer de David lui-même : le psaume 50 (§§ 41-85)

La seconde partie de l'ouvrage commente le psaume 50 verset par verset. Elle est introduite (§§ 41-42) par des considérations sur la signification symbolique du nombre du psaume : cinquante est le nombre du pardon, le nombre de la Pentecôte. Cette introduction est empruntée au prologue que Didyme avait placé au début de son commentaire du psaume. Les §§ 41-42 se situent donc, du point de vue de leur source, immédiatement à la suite des §§ 2-9. Le commentaire des versets est emprunté en

---

44. *De officiis*, I, 24, 114 : « Dauid etiam fortis in bello, patiens in aduersis, in Hierusalem pacificus, in uictoria mansuetus, in peccato dolens, in senectute prouidus, rerum modos, uices temporum per singularum sonos seruauit aetatum, ut mihi uideatur non minus uiuendi genere, quam canendi suauitate praedulcis immortalem deo sui fudisse meriti cantilenam. » — Description des vertus de David : sa force, comparer *De officiis*, I, 35, 177 et *Apologia*, § 26 ; sa patience, *De officiis*, I, 48, 235-237 et *Apologia*, §§ 30-32 ; sa miséricorde et son horreur de la cruauté, *De officiis*, II, 7, 32-38 et *Apologia*, §§ 29 et 36 ; son sens du devoir, *De officiis*, III, 5, 33-34 et *Apologia*, § 27.

45. *De Iacob*, I, 1, 3 ; *De excessu fratris*, II, 25 ; *Expl. Ps. XII*, 37, 41 et 51 ; 38, 30-31. Sur l'histoire de cette interprétation morale de la figure de David, cf. J. DANIÉLOU, art. « David », dans *Reallexikon für Antike und Christentum*, t. III, 1957, col. 594-603.

grande partie à Origène et à Didyme[46]. A propos de chaque
verset, Ambroise propose souvent deux et même trois exégèses.
Elles ne sont pas empruntées nécessairement à des sources
différentes ; cette pluralité d'interprétation se situe très bien
dans la tradition origénienne qui proposait d'un même texte
plusieurs exégèses situées à des niveaux spirituels différents[47].

Ambroise distingue dans le psaume trois parties qui correspondent à des étapes progressives dans la libération du péché.
David commence par confesser son péché (versets 3 à 7) dans une
atmosphère d'intense désolation. Il demande d'être lavé de
l'injustice qui est au fond de son âme et des fautes qu'il a commises[48] par suite de cette injustice foncière (§§ 43-45). Sa conscience l'accuse sans cesse (§§ 47-48). Il reconnaît qu'il a péché
contre Dieu seul (§§ 51-52), parce qu'il est roi, parce que Dieu est
le seul juge et que Dieu avait pris tout particulièrement soin de
lui. Jusqu'ici la confession de David s'est rapportée à son seul
péché. Mais elle s'élargit peu à peu aux dimensions de l'universalité du péché. Dieu a eu bien raison de dire que tout homme
est pécheur (§§ 53-55), car c'est dès sa conception que tout
homme est plongé dans l'iniquité (§§ 56-57).

Arrivé par cette prise de conscience progressive au plus
profond de l'abîme du péché, brusquement[49] David entrevoit
la lumière : « Alors qu'il prononçait ces paroles et confessait
les immondes souillures des péchés de l'individu et des péchés
de l'espèce, brusquement la splendeur de la vraie réalité et
l'éclatante blancheur de la grâce spirituelle brillèrent à ses
yeux. Car s'élevant au-dessus de la simple figure, il vit, dans
l'esprit prophétique, les sacrements des mystères célestes

---

46. Les traductions des textes parallèles seront données dans les notes
de la traduction de l'*Apologia*.

47. Cf. ORIGÈNE, *De princ.*, IV, 2-6.

48. Cf. plus bas, n. 65.

49. *Apologia*, § 58 : « Subito ei splendor ueritatis... effulsit. » Il y a là
probablement un souvenir (de source origénienne ?) de l'ἐξαίφνης platonicien,
cf. PLATON, *Lettre* VII, 341 c 7 ; *Banquet*, 210 e 4.

dont Moïse a préfiguré le type dans la Loi. Aussi, blessé de la blessure d'amour et pris du désir ardent de découvrir la vraie réalité, il tendit son regard jusque dans les régions supérieures de son esprit et sa vue plongeant dans le lointain du futur, il discerna les trésors de sagesse et de science contenus dans le Christ. » Ici commence donc pour Ambroise la seconde partie du psaume. Pour expliquer le changement de tonalité qui se fait jour maintenant, le passage de la tristesse à la joie, il suppose un événement spirituel, une vision de David, dans laquelle il découvre que le péché, dans lequel il était plongé, sera détruit par le mystère du salut dans le Christ. C'est cette vision prophétique de David qui explique l'opposition entre les premiers versets (3-7) et les versets qui constituent la deuxième partie du psaume (8-17). La troisième partie (versets 18-21) décrira plus précisément le contenu de cette vision prophétique. La seconde partie exprime la joie de David reconnaissant les signes du pardon que Dieu lui a accordé : l'illumination prophétique (§ 58), la blancheur spirituelle de l'âme (§ 59), l'exultation intérieure (§ 60), l'effacement du péché et de l'iniquité (§§ 61-63), la création d'un cœur nouveau et l'infusion de l'Esprit Saint (§§ 64-71), l'affermissement par l'Esprit souverain (§§ 72-74), la vocation à l'évangélisation des pécheurs (§§ 75-76), la possibilité de chanter les louanges de Dieu (§§ 77-80).

Les derniers versets du psaume (18-21) qui constituent sa troisième partie révèlent le contenu de la vision prophétique de David. Dans le verset 18, David parle, semble-t-il, au nom du Christ (comme déjà peut-être au verset 15) : le Christ déclare par sa bouche que le sacrifice qui assure la rémission des péchés consiste dans l'obéissance et dans l'humilité (§ 81). Les versets 19-21 donnent à la vision de David une perspective grandiose. Ses regards se portent sur la cité de Dieu et son sacrifice. Dans la cité de Dieu, édifiée de pierres vivantes et fondée sur les enseignements de la foi, c'est le sacrifice de justice qui est offert. C'est la justice elle-même, c'est-à-dire la perfection spirituelle, qui est ce sacrifice : perfection des saints qui s'immolent eux-mêmes par l'ascèse, perfection des martyrs qui ont été immolés au nom du Christ (§§ 82-85).

Bien que nous ne puissions retrouver aucune trace de cette division tripartite dans les fragments que nous possédons d'Origène et de Didyme, il est très vraisemblable qu'elle provient de cette tradition exégétique, tant les parallèles textuels entre Didyme et Ambroise sont étroits surtout dans la troisième partie. Le texte d'Ambroise nous permet ainsi de nous faire une certaine idée du contenu probable du commentaire de Didyme qui ne nous est parvenu que d'une manière très fragmentaire.

3. Structure générale

Les deux parties de l'*Apologia* se correspondent étroitement, nous aurons à le constater avec précision en analysant les thèmes fondamentaux de l'œuvre. Pour le moment, nous pouvons noter que les deux parties aboutissent, dans leurs fins respectives à des conclusions analogues : la faute de David n'a pu être portée à son compte parce qu'elle était une figure du mystère du salut :

§40	§81
Nec inputatum est ei peccatum... quia non fuit inprobitatis aestus sed umbra mysterii.	Quomodo igitur in typo eius mysterii peccatum inputari potest cum in ipso mysterio sit remissio peccatorum ?

Ambroise est parfaitement conscient des articulations qu'il a données à son développement. Il les souligne fortement au § 40 qui sert de charnière entre le commentaire du psaume (§§ 41-85) et le vaste prologue qui le précède (§§ 1-40) :

1. *Ainsi il a mérité la rémission de son iniquité, il a par son amour caché et couvert ses péchés, il les a cachés par ses bonnes œuvres.* C'est là la conclusion de la partie consacrée aux bonnes œuvres de David (§§ 24-40).

2. *Son péché n'a pas été porté à son compte, car il n'y a pas eu en lui de ruse due à la méchanceté, mais un faux pas dû à l'égarement.* C'est le thème du prologue de Didyme : la faute de David est justifiée parce qu'elle est un avertissement moral et un témoignage providentiel de la fragilité humaine (§§ 3-9 et 15-19).

3. *Et puis, il n'y a pas eu dans sa faute la chaleur brûlante de la perversité, mais au contraire l'image d'un mystère.* C'est la justification typologique de la faute de David (§§ 10-14 et 20-23).

4. *Et pourtant, il a avoué sa faute, il a reconnu son iniquité.* C'est l'annonce de la première partie du psaume 50 et de son commentaire (§§ 41-57).

5. *Il a vu à l'avance le bain purificateur, il a vu et il a cru, il a beaucoup aimé, en sorte que par l'excès de son amour, il a été capable de recouvrir ses égarements, quels qu'ils fussent.* C'est la seconde et la troisième partie du psaume 50 et de son commentaire (§§ 58-85).

On retrouvera les numéros de ces différentes phrases dans le tableau suivant :

26 INTRODUCTION

	Commentaire du psaume 50	Figura mysterii	Les vertus de David
Plaidoyer pour David : sa faute a été justifiée :	**2** §§ 3-9 : comme avertissement moral providentiel = DIDYME, § 532		
		3 §§ 10-14 : comme figure de la Nouvelle Alliance	
	2 §§ 15-19 : comme témoignage de la fragilité humaine		
		3 §§ 20-23 : comme figure de l'union du Verbe et de la nature humaine	
			1 §§ 24-40 : par le contrepoids de ses bonnes œuvres
Plaidoyer de David pour lui-même :	**4** §§ 41-57 : il confesse sa faute = DIDYME, §§ 532-539 et ORIGÈNE		
	5 §§ 58-85 : il voit que son péché est une figure du mystère du salut = DIDYME, §§ 541-551 et ORIGÈNE		

On voit ainsi les différents blocs que l'analyse peut découvrir dans l'ouvrage. On reconnaît tout d'abord l'unité littéraire constituée par les emprunts faits à Didyme et Origène dans la perspective du commentaire du psaume 50. Les §§ 10-23 se rapportent au thème de la figure du mystère du salut. Les §§ 24-40 proposent un portrait de David, roi idéal.

Il est très intéressant de constater que l'on retrouve les différentes parties de ce plan à l'exclusion du thème des vertus de David, dans une sorte d'esquisse de l'*Apologia Dauid* que l'on peut facilement reconnaître au livre III de l'*Expositio Euangelii secundum Lucam* (III, 37-39). On y retrouve successivement, et dans le même ordre, le thème de la signification providentielle des fautes des saints, comme avertissement moral, celui de la signification typologique du péché de David, comme figure de l'union du Christ avec l'Église des nations, et enfin celui de la confession de David dans le psaume 50. Cette esquisse a l'avantage de nous donner une sorte de résumé de l'*Apologia Dauid*, c'est pourquoi elle mérite d'être citée entièrement :

1. *La faute de David comme avertissement moral providentiel*

« Est-ce que David le saint, bien que d'ailleurs beaucoup des choses qui lui arrivèrent aient été des figures destinées à la réalisation du mystère, n'est pas d'autant plus grand qu'il s'est connu homme[50] et qu'il a jugé que le péché commis en enlevant la femme d'Urie devait être lavé par les larmes du repentir ? Il nous montrait ainsi que personne ne doit se fier à sa propre vertu.

C'est que nous avons un adversaire puissant dont nous ne pouvons triompher sans la grâce de Dieu. Et souvent vous trouverez chez des hommes illustres et bienheureux des fautes graves afin que vous connaissiez que, comme des hommes qu'ils étaient, ils ont été accessibles à la tentation, de crainte qu'à cause de leurs vertus éminentes, on ne s'imaginât qu'ils étaient plus que des hommes[51].

---

50. *Exp. Eu. sec. Lucam*, III, 37 : « Hominem se esse cognouit » et *Apologia*, § 19 : « Dauid, qui sciret hominem se esse natum lapsui. »

51. Cf. *Apologia*, § 7.

Si en effet David, pour avoir dit, exalté par l'orgueil[52] de la vertu : ' Si j'ai rendu le mal à ceux qui me le faisaient...' et ailleurs : ' Pour moi, dans l'excès de ma confiance, j'ai dit : Je ne serai jamais ébranlé ' a subi aussitôt la peine de cette arrogance, comme il le rappelle par ces mots : ' Tu as détourné ta face de moi et j'ai été troublé ', si donc même l'ancêtre de la lignée du Seigneur a subi les atteintes de l'arrogance, combien plus, nous autres pécheurs, qui n'avons pour nous secourir l'appui d'aucun mérite, devons-nous craindre l'écueil de l'arrogance sur lequel des gens de bien font naufrage. Nous devons d'autant plus le redouter qu'un tel grand homme nous sert d'enseignement et d'exemple, lorsque, dans les psaumes qui suivent ceux qui viennent d'être cités, il a pensé qu'il devait chanter une sorte de palinodie pour apaiser le Seigneur en disant : ' Seigneur, mon cœur ne s'est pas exalté et mes yeux ne se sont pas élevés vers le haut ' et aussi : ' Le Seigneur est à ma droite pour que je ne sois pas ébranlé '. Car il savait qu'il était tombé, lorsqu'il avait eu confiance en lui-même. Finalement il a laissé entendre qu'il n'y avait rien dans l'homme sinon le fait de connaître Dieu. Car on lit : ' Qu'est-ce que l'homme pour que tu te fasses connaître à lui et qu'est-ce que le fils de l'homme pour que tu en tiennes compte ? ' Si donc David condamne l'arrogance, se revêt d'humilité, c'est à bon droit que l'on reconnaît dans l'histoire de la femme d'Urie cette leçon qui nous invite à pratiquer l'humilité. »

2. L'adultère de David, figure de l'union du Christ avec l'Église des nations

« Et pourtant, puisque d'elle est né Salomon le Pacifique, voyons s'il n'y a pas là un mystère. Une fois éliminé celui qui jadis revendiquait pour épouse le peuple des nations[53], l'Église s'unit à un autre époux, au vrai David[54]. Car le Christ est appelé

---

52. Ce thème de l'orgueil vient d'Eusèbe de Césarée, dont les *Quaestiones euangelicae ad Stephanum* (cf. VIII, 3, *PG* 22, col. 913) sont la source du livre III du commentaire sur saint Luc d'Ambroise où l'on retrouve les mêmes citations du psaume 29, 7-8. Ce thème réapparaît dans l'*Apologia*, § 8 : « Virtutis abundantia » et § 36 (même citation du psaume 29, 7).

53. Cf. *Apologia*, § 20 où Urie est identifié avec Satan qui revendique la possession de l'humanité.

54. Cf. *Apologia*, § 14 : « Sa simplicité sans voile devait séduire le cœur du vrai David. »

' David '. Il est revêtu du nom de son ancêtre, ainsi qu'il est écrit : ' J'ai trouvé David mon serviteur '. A lui s'est unie en mariage l'Église qui, remplie de la semence du Verbe et de l'Esprit de Dieu, a enfanté le corps du Christ, c'est-à-dire le peuple chrétien. C'est donc ' cette femme qui, du vivant de son mari, est liée par la Loi ' et c'est pourquoi son époux est mort, afin qu'elle ne soit pas adultère en étant avec un autre homme. *Ainsi est mystère dans l'ordre de la figure ce qui est péché dans l'ordre de l'histoire.* Ce qui est faute du fait de l'homme devient sacrement du fait du Verbe. De cette histoire, j'ai parlé plus longuement ailleurs[55] ; c'est pourquoi il me semble que je peux passer plus rapidement ici. »

3. *L'aveu de David dans le psaume 50*

« C'est à bon droit que David le saint a écrit sur cette histoire le psaume 50 plein de mystères, en disant, à cause de son mariage avec Bersabée : ' Lave-moi abondamment de mon iniquité et purifie-moi de ma faute '. Si cet ami de Dieu reconnaît son ' iniquité ' et l'obstacle que sa ' faute ' oppose à ses mérites, si enfin il a avoué qu'il a péché contre Dieu, pourquoi rougirait-on d'avouer ses fautes ? C'est le souvenir[56] du crime, non son aveu qui doit nous faire honte ! Puis donc que David n'a pas omis dans ses psaumes l'épisode de Bersabée afin de nous apprendre par là *soit un mystère, soit l'exercice d'une parfaite pénitence*[57], c'est à bon droit, nous le voyons, que cette histoire n'a pas été omise non plus dans la généalogie du Seigneur[58], étant donné que ce même David qui la prit pour épouse est indiqué comme ancêtre de la lignée du Seigneur selon la chair[59]. »

---

55. Allusion à notre *Apologia Dauid*.

56. *Commentum* (de *comminiscor*) correspond au grec ὑπόμνημα.

57. Ceci correspond bien au tableau que nous avons présenté plus haut : le sens du psaume 50 est ou bien la confession et le repentir (n° 4 de notre tableau) ou bien la reconnaissance dans la faute de David d'une préfiguration du mystère du salut (n° 3 et 5).

58. Ceci nous ramène au livre III du commentaire sur saint Luc, dont le thème fondamental, emprunté aux *Quaestiones evangelicae ad Stephanum* d'Eusèbe de Césarée, est la généalogie du Christ et tout spécialement le problème que pose l'évocation des femmes pécheresses et étrangères dans cette généalogie.

59. *Exp. Eu. sec. Lucam*, III, 37-39, trad. G. Tissot, *SC* 45, p. 140-142, modifiée sur quelques points.

On ne peut douter que nous ne soyons ici en présence du canevas de l'*Apologia Dauid*. Ambroise vient probablement d'en achever la rédaction définitive et il est encore plein de son sujet. Alors que, dans ce livre III de son commentaire sur saint Luc, Ambroise suit, d'une manière assez littérale, sa source, les *Quaestiones evangelicae ad Stephanum* d'Eusèbe de Césarée, il se sépare ici de son modèle, dont il ne conserve que l'allusion à l'*abundantia*, à l'arrogance de David, cause de sa chute. Il introduit de son propre chef le thème du caractère typologique de la faute de David, figure de l'union du Christ et de l'Église, et le thème de la confession de David dans le psaume 50, thèmes qui correspondent exactement au plan de l'*Apologia*.

4. Thèmes fondamentaux

Au sein des différentes parties de l'ouvrage, certains thèmes fondamentaux s'appellent et se correspondent. Le thème essentiel est évidemment celui des rapports entre l'événement historique qu'est l'adultère de David et sa dimension typologique : « Mysterium igitur in figura, peccatum in historia[60] ». Tout d'abord, les circonstances du péché de David préfigurent le mystère du salut. L'union de David avec Bersabée a été un adultère, mais l'union du Christ avec l'Église des nations, la répudiation du peuple juif, est une sorte d'adultère justifié par l'économie du mystère du salut. Ce thème se retrouve dans les deux parties de l'*Apologia*. « Vt significaretur congregatio nationum » dit le § 14, et les dernières pages du commentaire du psaume 50 répondent (§§ 82 et 85) : « Ecclesiae congregationem per uocationem gentium » et : « Ecclesiam ex gentibus adquisitam ». L'union de David avec Bersabée signifie également l'union du Verbe avec la nature humaine (§§ 20-23) et le Christ est le vrai David (§§ 12.14.20.81).

---

60. *Exp. Eu. sec. Lucam*, III, 38.

En second lieu, la pénitence de David a été à la fois la cause et
l'effet de la vision prophétique dans laquelle il a entrevu le
mystère du baptême et de l'infusion de l'Esprit Saint. Ce thème
revient d'une manière constante aussi bien dans la première
partie (§§ 23.35. et 40 « uidit lauacrum »), que dans la seconde
(§§ 43. 58. 59). David a vu à l'avance le mystère de la rémission
des péchés (§§ 23 et 81). Le mystère de la liaison providentielle
entre le péché et le mystère du salut se retrouve dans le livre
III du commentaire d'Ambroise sur l'évangile de saint Luc, qui
fait précisément allusion à notre *Apologia*[61]. Ambroise, s'aidant
des *Quaestiones evangelicae* d'Eusèbe de Césarée, y dégage
la signification typologique des quatre femmes pécheresses ou
étrangères qui apparaissent dans la généalogie du Christ :
Thamar, Rahab, Ruth et Bersabée[62]. Thamar et ses deux fils,
figures des deux Alliances, sont évoqués aussi dans l'*Apologia
Dauid*[63]. C'est précisément la préfiguration du mystère du
salut qui justifie cette mention des femmes pécheresses[64] et
spécialement de Bersabée aussi bien dans la généalogie du
Christ que dans le titre du psaume 50.

Un thème secondaire, étroitement lié au précédent, est
celui de l'universalité du péché. Le péché est naturel à la fragilité
humaine (§§ 6.15.24.53) : tout homme est pécheur et capable
de péché, même l'enfant d'un jour (§§ 15 et 56) et le plus
grand des saints (§§ 7.8.15.19.24.53.56.76). Seul le Christ est
sans péché (§§ 10.57.59). C'est pourquoi Dieu a permis la
faute de David : il fallait montrer aux hommes que la vertu
des saints est imitable, qu'ils ne sont pas d'une nature transcendante (§ 7) ; il fallait leur fournir un modèle de pénitence (§§ 7
et 76).

Il faut d'ailleurs distinguer entre la corruption foncière
qu'est l'*iniquitas* ou l'*iniustitia*, disposition stable issue à la fois

---

61. Cf. p. 29 et n. 55.
62. *Exp. Eu. sec. Lucam*, III, 17.
63. *Apologia*, § 11. Voir Appendice II.
64. Sur ce thème, cf. H. DE LUBAC, *Catholicisme*, Paris 1938, p. 136-137.

de la nature et de l'habitude de pécher, et les fautes passagères et individuelles, les *delicta*[65]. La première ne peut être supprimée que par la grâce du sacrement de baptême, les secondes sont recouvertes par les bonnes œuvres et par l'amour (§§ 24.49.62). L'adultère de David n'est qu'un *delictum* que ses bonnes actions et son repentir ont recouvert comme le triple reniement de Pierre a été effacé par sa triple confession (§§ 25.50.68). Il ne faut donc pas se glorifier de ses vertus (§§ 8.36), car la faute est toujours possible ; il ne faut pas hésiter à confesser ses péchés et à s'en repentir, car « le juste est son propre accusateur » (§§ 7-9.15-19.40.47-48.55). Ce conseil est appliqué avec une insistance toute particulière aux grands de ce monde et aux rois (§§ 4.5.15.51.56).

Comme nous l'avons signalé dans les notes de la traduction, ces différents thèmes, inspirés par une exégèse morale ou typologique, proviennent d'Origène, soit directement, soit par l'intermédiaire de Didyme. Nous avons également indiqué dans les notes les parallèles qui peuvent exister entre certains passages de l'*Apologia* et d'autres œuvres d'Ambroise. Ces parallèles sont en général une invitation à deviner à l'arrière-plan du texte d'Ambroise une source s'inspirant de la tradition origénienne.

---

65. Le thème apparaît dans la première partie, grâce aux allusions au psaume 31 : « Beati quorum remissae sunt *iniquitates* et quorum tecta sunt *peccata* », et à *I Pierre* 4, 8 : « Caritas operit multitudinem *peccatorum* », allusions qui servent à introduire la partie consacrée aux vertus de David (§§ 24-40), mais qui reviennent très souvent comme arguments de la plaidoirie : §§ 9.24.25.36.39. 40. Ces allusions ou citations réapparaissent dans le commentaire du psaume 50 : §§ 49-50. L'opposition entre *iniquitas* et *delictum* est présentée dans les §§ 45 (« habitudinem... peccandi »), 49 (« radix est iniquitas », « uidetur iniquitas ad mentis prolapsionem referri »), « iniquitas per lauacrum remittitur »), 56, 62 (« Iniquitas operatrix culpae », « radix et seminarium peccatorum »), 63 (« perfecta uirtus iniquitatem... delet »). Cf. plus haut, p. 20 et n. 43.

Chapitre III

LA DATE DE L'*APOLOGIA DAVID*
ET LA DÉDICACE A L'EMPEREUR THÉODOSE

Pour dater notre ouvrage, nous possédons un *terminus ante quem*. En effet Ambroise fait très clairement allusion à l'*Apologia Dauid* au livre III de son *Expositio Euangelii secundum Lucam*. Nous avons cité le texte plus haut[66]. Or ce livre III et les dernières pages du commentaire sur saint Luc, inspirés par les *Quaestiones euangelicae* d'Eusèbe de Césarée, ont été vraisemblablement ajoutés par Ambroise à son ouvrage au moment de la rédaction définitive. Ces textes ne correspondent pas en effet à des homélies prononcées devant le peuple chrétien, mais semblent destinés à éclairer certains problèmes qui n'ont pu être traités dans la prédication orale[67].

---

66. Voir plus haut, p. 29 et n. 55.

67. Cf. C. Schenkl, dans *C.S.E.L.*, t. 32, pars quarta, p. v : «Totum librum tertium ab Ambrosio non ex sermonibus olim in ecclesia habitis compositum sed libellum esse lucernam olentem et domi elucubratum chartisque mandatum non solum materia nos edocet arida et a praedicantium usu aliena sed etiam uox illa *frater* (III, 50), quam una cum totius libri argumento ex Eusebii Caesareensis libro qui inscribitur περὶ τῆς τῶν εὐαγγελίων διαφωνίας deprompsit. Ex eodem fonte fluxerunt quae in libri X ss. 147-184 ab Ambrosio proferuntur et ipsa certe parum idonea quae diebus dominicis coram populo indocto tractentur. Quae cum ita sint, iam nihil aliud restat nisi ut statuamus episcopum libros illos Eusebii suo more latino sermone interpretatum esse eo consilio ut uiro cuidam ecclesiastico donum mitteret, postea uero, cum in Lucae expositione retractanda uersaretur mutato consilio opusculum illud nouo libro inseruisse. »

Au moment de cette rédaction définitive de l'*Expositio Euangelii secundum Lucam*, l'*Apologia Dauid* est donc déjà rédigée, mais pas depuis longtemps, à ce qu'il semble. En effet d'une part, Ambroise en donne un intéressant résumé, qui laisse supposer qu'il est encore plein de son sujet, et d'autre part, l'*Apologia* elle-même évoque l'histoire de Thamar d'une manière qui ne peut guère être comprise sans se référer au livre III du commentaire sur saint Luc[68]. Les deux rédactions définitives peuvent être très proches l'une de l'autre. Ambroise semble d'ailleurs avoir à cette époque travaillé d'une manière toute particulière sur les Psaumes. En effet, d'une part le livre III fait allusion au futur commentaire[69] sur le psaume 48 et d'autre part le commentaire sur le psaume 61 fait allusion aux mêmes événements que l'*Apologia* et le commentaire sur l'évangile de Luc[70].

Reste maintenant à dater la rédaction définitive de l'*Expositio Euangelii secundum Lucam*. Il faut la situer après 388, puisqu'on trouve dans l'ouvrage des allusions à la défaite de Maxime par Théodose[71], mais au plus tard en 389, puisque le prologue de Jérôme à sa traduction des homélies d'Origène sur saint Luc fait allusion à l'ouvrage d'Ambroise[72]. Or cette traduction date des années 389-390.

Nous possédons également un *terminus a quo* assez lointain mais qui peut se préciser et se rapprocher sensiblement du *terminus ante quem*. L'*Apologia* évoque l'assassinat de l'empereur Gratien

---

68. Cf. Appendice II.

69. *Exp. Eu. sec. Lucam*, III, 15 : « Licet sit uersiculi istius et alia interpretatio quam suo dicemus loco. » Il s'agit du verset 8 du psaume 48.

70. *Expl. Ps. XII*, 61, 17 et 25-26 : il s'agit de l'usurpation de Maxime et de sa défaite par Théodose (année 388). *Exp. Eu. sec. Lucam*, IX, 32 : allusion à la paix et au retour de Valentinien II. *Apologia*, § 27 : allusion à l'usurpation de Maxime.

71. Cf. note précédente.

72. Sur la date de rédaction définitive du commentaire d'Ambroise, cf. F. Fournier, Introd. à Origène, *Homélies sur saint Luc*, SC 87, Paris 1962, p. 78.

et l'usurpation de Maxime, qui eurent lieu en août 383. Ambroise y fait allusion au § 27 :

« Plût au ciel que par la suite on eût imité notre héros (dans le respect de l'autorité royale) : nous n'eussions pas eu à supporter les si terribles malheurs de la guerre ! On reproche à David d'avoir tué un homme, un seul, et on ne veut pas voir qu'il nous a enseigné comment une paix perpétuelle peut être assurée au monde romain ! De quelles terribles dévastations n'expions-nous pas aujourd'hui, de quel deuil public du monde entier ne payons-nous pas le meurtre d'un roi dont on convoitait le pouvoir ! Ah ! les cruels tourments ! De là vient qu'un ennemi barbare nous attaque encore, tandis que se tournent contre nous-mêmes les armes préparées contre lui. Ainsi se sont effondrées les forces du peuple romain, ainsi s'est épuisée la puissance romaine, énervée par ses propres convulsions, tandis qu'on ravissait par un parricide qui endeuillait l'Empire un pouvoir qu'on aurait dû recevoir dans le respect des sages dispositions paternelles. »

Ce texte n'a pu être rédigé immédiatement après la mort de Gratien. La situation qu'il décrit ne correspond pas à celle des années 383-387. Les « terribles malheurs de la guerre », les « terribles dévastations » ne se sont pas produits au moment de l'usurpation de Maxime : l'insurrection des troupes et l'assassinat de Galien se sont déroulés sans véritable guerre[73]. Ils ne se sont pas produits non plus dans les années qui suivirent, puisque Maxime fut toléré sinon reconnu par Théodose et Valentinien II[74]. C'est seulement en 387 que la situation s'aggrave. L'empereur Valentinien demande l'aide de Maxime contre les Barbares qui menacent la Pannonie. Maxime envoie effectivement des troupes, mais en profite pour envahir l'Italie et s'établir à Aquilée[75]. Valentinien II s'enfuit à Thessalonique. En 388, Maxime fait pénétrer ses troupes dans l'Illyricum, en

---

73. Cf. W. Ensslin, art. « Maximus », dans *PW*, t. XIV, 2, col. 2547 : « So ohne Schlacht besiegt floh Gratian mit wenigen Getreuen. »

74. Cf. *ibid.*, col. 2546.

75. Cf. *ibid.*, col. 2552.

direction de l'Empire d'Orient. C'est bien la situation décrite
par Ambroise : les troupes romaines tournent contre elles-
mêmes les armes destinées aux Barbares. L'affrontement
sanglant ne commence vraiment que pendant l'été 388. C'est
alors que l'on peut parler des « malheurs de la guerre » et des
« terribles dévastations ». Les troupes de Théodose s'avancèrent
en Pannonie et vainquirent les partisans de Maxime successivement à Siscia, puis à Pettau. Maxime fut fait prisonnier à Aquilée
et fut mis à mort (28 août 388)[76]. Les combats s'étendirent
ensuite à la Gaule, où se trouvait encore le fils de Maxime[77],
Flavius Victor. Profitant de la guerre civile, les Francs avaient
anéanti deux légions sur la rive droite du Rhin[78]. C'est probablement le sens de l'allusion d'Ambroise : « De là vient qu'un
ennemi barbare nous attaque encore, tandis que se tournent
contre nous-mêmes les armes préparées contre lui. »

Ambroise emploie des présents qui peuvent donner l'impression
que les événements dont ils parlent sont en train de se dérouler
et que la guerre est en cours. Mais il faut bien admettre que ces
lignes ont dû être écrites lorsque la guerre venait de s'achever,
après le triomphe de Théodose. En effet, Maxime occupant
l'Italie, il aurait été impossible d'écrire ouvertement qu'il
avait été un parricide en assassinant Gratien. Le présent employé
par Ambroise signifie donc que les événements viennent de

---

76. AMBROISE, *Lettre* 40, 22-23 ; PACATUS, *Paneg. Theodos.*, 34-46. On peut
constater une certaine analogie d'expression entre le panégyrique de Pacatus
et l'*Apologia Dauid* : 1°) même éloge, direct ou indirect, de la clémence de
Théodose (PACATUS, § 45, et *Apologia*, § 29 [sous les traits de David]) ; 2°)
même allusion à la paix perpétuelle (PACATUS, § 45 : « Pertinet ad securitatem
omnium seculorum quod est factum uideri », et *Apologia*, § 27 : « Quemadmodum pax orbi Romano perpetua seruaretur », assurée au peuple romain si
tous acceptent de respecter l'autorité royale ; 3°) même description du règne
de Maxime comme d'un long « deuil public » (PACATUS, § 24 : « lustrale iusti-
tium », et *Apologia*, § 27 : « publico quodam totius orbis funere »).

77. W. ENSSLIN, *art. cit.*, col. 2554, 61.

78. Cf. ZOSIME, *Hist.*, IV, 47 ; GRÉGOIRE DE TOURS, *Hist. Franc.*, II, 9
(invasion des Francs en Gaule, alors que Maxime, qui a perdu tout espoir
de conserver l'Empire, se trouve à Aquilée).

se passer. Tout ceci correspond donc à un moment qui doit se situer après la défaite de Maxime, c'est-à-dire après le mois d'août 388.

Un autre élément de datation entre ici en jeu. L'excellent manuscrit *Parisinus latinus 1732* (*P*) donne à notre ouvrage le titre suivant : *Incipit tractatus eiusdem de apologia Dauid ad Theodosium Augustum*. Si l'œuvre a été dédiée à Théodose, c'est très probablement dans une certaine circonstance que l'on peut essayer de déterminer. La date de la dédicace ne coïncidera pas nécessairement avec celle de la rédaction définitive. Ambroise peut avoir jugé que l'œuvre qu'il avait rédigée s'adaptait bien à telle ou telle circonstance.

On peut se demander légitimement si Ambroise n'a pas dédié son *Apologia* à Théodose à l'occasion de l'affaire de la synagogue de Kallinikon, qui provoqua un conflit entre l'empereur et l'évêque de Milan dès les premiers temps du séjour de Théodose dans cette ville, après sa victoire sur Maxime. Dans ce cas, la date de la rédaction définitive et la date de la dédicace coïncideraient. La synagogue de Kallinikon avait été brûlée par le peuple à l'instigation de l'évêque du lieu en septembre 388 et Théodose voulait contraindre ce dernier à reconstruire l'édifice à ses frais. Ambroise s'opposa violemment aux intentions de l'empereur[79]. Deux de ses *Lettres* nous rapportent l'affaire. La *Lettre* 40 est une ferme admonestation adressée à Théodose. La *Lettre* 41, destinée à Marcellina, la sœur d'Ambroise, raconte d'une manière très vivante le sermon prononcé devant l'empereur pour le faire revenir sur sa décision et le dialogue qui s'ensuivit[80]. Ces deux *Lettres* ont beaucoup de traits communs avec l'*Apologia Dauid*. Comme celle-ci, elles évoquent les récents combats de Théodose contre l'usurpateur Maxime[81], elles présentent Théodose comme un nouveau David qui possède les mêmes

---

79. Cf. A. LIPPOLD, art. « Theodosius I », dans *PW, Suppl.* XIII, col. 879,
80. Cf. plus haut, n. 34.
81. *Apologia*, § 27 ; *Lettre* 40, 22-23.

vertus que son modèle[82] et qui est soutenu par les mêmes secours
extraordinaires de la Providence divine. On y retrouve les mêmes
citations groupées de *Michée* 6, 3-5 et de *II Samuel* 12, 7-9,
c'est-à-dire la même énumération des bienfaits divins, rappelés
par Dieu à son peuple et par Nathan à David[83]. Ambroise, nouveau Nathan, rappelle lui aussi à l'empereur toutes les grâces
que Dieu lui a accordées pendant son règne et tout spécialement
lors de sa victoire sur Maxime[84]. Par ce moyen, il espère, comme
Nathan l'avait fait pour David, amener Théodose au repentir.
Enfin, l'*Apologia* contient elle aussi une allusion à l'opposition
entre l'Église et la Synagogue[85].

Il serait donc bien tentant de mettre la dédicace de l'*Apologia*
à Théodose en rapport avec cette affaire de Kallinikon. Chrono-
logiquement, cette hypothèse serait tout à fait acceptable. Pourtant, le ton de l'*Apologia* ne me paraît pas adapté à cette circonstance. L'empereur céda somme toute assez vite, même
s'il en éprouva un certain ressentiment. Et il n'avait pas vraiment
à se repentir d'une faute, il devait seulement changer d'avis.
Or l'*Apologia* est indiscutablement une exhortation intense à la
pénitence. Il n'en est pas moins intéressant de constater l'existence de nombreux traits communs entre notre ouvrage et
les *Lettres* 40 et 41. Ils s'expliquent précisément par le fait
que ces *Lettres* sont contemporaines de la rédaction définitive de
l'*Apologia*. Ambroise, qui, à cette époque, travaille à l'exégèse
de plusieurs psaumes, est tout spécialement sensible à la signification morale et spirituelle de la figure de David. Il se repré-

---

82. *Lettre* 40, 5 : « Noui te pium, clementem, mitem atque tranquillum,
fidem ac timorem Domini cordi habentem. » *Ibid.*, 22 : « Non recordaris
quid Dauid sancto per Nathan prophetam mandauerit ? » *Lettre* 41, 25 :
« Ad ipsum regem Dauid, illum pium atque mansuetum, qualis per Nathan
prophetam expostulatio ? » *Apologia Dauid*, § 9 : « Sanctum Dauid, fide
nobilem, praestantissimum mansuetudine, manu fortem. »

83. *Apologia Dauid*, § 54 ; *Lettres* 40, 22 et 41, 24-25.

84. *Lettres* 40, 22-23 et 41, 24.

85. *Apologia Dauid*, § 18.

sente tout naturellement ses rapports avec Théodose sur le modèle de la relation qui existait entre le prophète Nathan et le roi David. Le thème des vertus de David lui sert tout à la fois à flatter l'empereur et à lui proposer un modèle du roi idéal.

Le thème fondamental de l'*Apologia Dauid* : le roi coupable d'assassinat, mais saisi d'un profond repentir, correspond beaucoup mieux à la situation créée par le massacre de Thessalonique qu'à celle qui résultait de l'incendie de la synagogue de Kallinikon. Cette tragédie[86] eut lieu au printemps de l'année 390. En représailles contre l'assassinat du *magister militum* Butheric par le peuple de Thessalonique, Théodose fit massacrer dans le cirque de cette ville plusieurs milliers de personnes. Profondément bouleversé par ce crime, Ambroise écrivit à l'empereur une lettre qui, elle aussi, offre bien des thèmes communs avec l'*Apologia Dauid*. Elle invite[87] l'empereur à s'écrier comme le roi coupable : « Peccaui Domino ». Elle évoque, comme l'*Apologia*, le désespoir de David voyant l'Ange de Dieu frappant son peuple après le dénombrement ordonné par le roi[88]. Elle rappelle, comme l'*Apologia*, la douleur de celui-ci après la mort d'Abner[89]. Elle cite aussi, comme notre traité, ce texte des *Proverbes* (8, 17) : « Iustus in exordio sermonis accusator est sui » pour en conclure : « Celui qui s'accuse est juste[90]. » Surtout on retrouve de part et d'autre le même ton général, la même exhortation à la pénitence[91].

---

86. Cf. G. RAUSCHEN, *Jahrbücher der christlichen Kirche unter dem Kaiser Theodosius*, Fribourg en Brisgau 1897, p. 317. J.-R. PALANQUE, *Saint Ambroise et l'Empire romain*, Paris 1933, p. 227-250 et 536. A. LIPPOLD, art. «Theodosius I », *PW*, col. 886-891.

87. *Lettre* 51, 7 : « An pudet te, Imperator, hoc facere quod rex propheta... fecit Dauid ? ... cognito quod in hoc ipse argueretur, quia ipse fecisset, ait : Peccaui Domino. » Cf. *Apologia*, §§ 5 et 39. Voir l'analyse de la lettre dans J.-R. PALANQUE, *Saint Ambroise et l'Empire romain*, p. 232 s.

88. *Lettre* 51, 9. Cf. *Apologia*, §§ 37-38 et 69.

89. *Lettre* 51, 10. Cf. *Apologia*, § 36.

90. *Lettre* 51, 15. Cf. *Apologia*, § 47.

91. *Lettre* 51, 7 : « Noli ergo impatienter ferre, Imperator, si dicatur tibi : Tu fecisti istud, quod Dauid regi dictum est a propheta. » — Je pense qu'il

On pourrait donc, semble-t-il, supposer les étapes suivantes dans la composition de l'*Apologia*. Il y a eu tout d'abord un sermon sur le psaume 50 prononcé devant le peuple chrétien à une date qui peut être antérieure à l'automne 388. Il y a eu ensuite une période de rédaction durant laquelle se sont produits les événements de l'automne 388, c'est-à-dire la défaite de Maxime et l'affaire de Kallinikon. C'est peut-être en relation avec ces événements qu'Ambroise introduit dans l'*Apologia* le développement consacré aux vertus de David, dans lequel prend place l'évocation de la défaite de Maxime. Ce commentaire sur le psaume 50 ainsi rédigé aurait pu être introduit, plus tard, dans le recueil intitulé *Explanatio psalmorum XII* qui réunit divers commentaires[92] écrits à différentes époques. Survient alors le drame de Thessalonique. Ambroise envoie à l'empereur sa *Lettre* 51 pour l'exhorter à la pénitence. Mais son commentaire du psaume 50 lui paraît constituer un complément, une illustration excellente de ce qu'il a voulu dire au nouveau David. C'est donc à ce moment-là que, retirant son commentaire du recueil de commentaires sur le Psautier auquel il était destiné, Ambroise lui donne une forme définitive, en

---

faut voir une confirmation de notre hypothèse dans le § 24 de la *Vita S. Ambrosii* de PAULIN DE MILAN. Nous y apprenons ceci : alors que l'évêque de Milan s'efforçait de convaincre Théodose de faire pénitence, celui-ci répondit : « Mais David a commis lui aussi un adultère et en même temps un homicide. » Mais Ambroise lui dit aussitôt : « Toi qui l'as imité dans ses erreurs, imite-le aussi dans son amendement. » Évidemment, le dialogue ainsi imaginé entre Théodose et Ambroise est tout à fait fictif et on ne voit vraiment pas pourquoi Théodose aurait eu la naïveté d'invoquer l'exemple de David ; il connaissait suffisamment l'enseignement chrétien pour deviner la réponse qu'il s'attirerait. Mais nous avons ici une sorte d'explication légendaire de l'origine de l'*Apologia Dauid*. C'est bien cette *Apologia* que l'on peut résumer par la formule d'Ambroise : « Qui secutus es errantem, sequere corrigentem. » Il faut donc voir dans ces lignes de Paulin une allusion à l'*Apologia* et au fait qu'elle a été adressée à Théodose à l'occasion du massacre de Thessalonique.

92. Cf. plus haut, n. 37.

l'adaptant aux circonstances, en y ajoutant notamment quelques phrases qui insistent fortement sur la pénitence des rois[93] :

« David a péché, ce dont les rois sont coutumiers. Mais il a fait pénitence, il a pleuré, il a gémi, ce dont les rois ne sont pas coutumiers. Il a avoué sa faute, il a imploré miséricorde ; étendu à terre, il a pleuré sa misère, il a jeûné, il a prié et en racontant sa douleur il a transmis à la suite des siècles le témoignage de sa confession. Chose que des particuliers rougissent de faire, un roi n'a pas rougi[94] de faire une confession publique ! Des hommes assujettis aux lois ont l'audace de nier leur péché, ils ne daignent pas demander ce pardon que recherchait celui qui n'était assujetti à aucune loi humaine. Il a péché, c'est la marque de sa condition ; il s'est prosterné : c'est la marque de son amendement. Sa faute, c'est le lot commun, mais sa confession, c'est son mérite distinctif. »

Ou encore :

« Qui fait pénitence avec de pareils sentiments ? Étendu à terre, il était abîmé en des torrents de larmes, il ne goûta à aucune nourriture, il refusa de se baigner. Dirai-je aussi le reste : il renonça à l'escorte et aux ornements royaux ? A tout cela, il ajouta la confession de son iniquité et il l'a transmise à toute la suite des siècles pour qu'elle soit chantée dans l'univers entier. »

---

93. *Apologia*, §§ 15 et 56. Ces deux textes sont introduits d'une manière assez artificielle dans le plan de l'*Apologia*. Le premier est placé dans un développement consacré à l'idée : le péché est naturel à l'homme (§§ 16-19) ; la mention de la pénitence du roi David est donc inutile. Le second trouve place dans le commentaire du verset du psaume 50 : « Ecce in iniquitatibus conceptus sum » et n'a aucun rapport avec le problème traité, celui de la souillure du péché originel. Il semble bien que dans les deux cas on soit en présence d'additions tardives. On remarquera d'ailleurs la parenté entre les deux textes, notamment la mention du psaume 50, « confession de son iniquité transmise à toute la suite des siècles », et l'insistance sur les marques extérieures de la pénitence.

94. Comparer *De obitu Theodosii*, 34 : « Quod priuati erubescunt, non erubuit imperator, publicam agere paenitentiam » et *Apologia* : « Quod erubescunt facere priuati rex non erubuit confiteri. »

Aucune difficulté chronologique ne s'oppose à notre hypothèse. Lorsqu'Ambroise rédige définitivement son commentaire sur saint Luc en 388-389, il mentionne son commentaire sur le psaume 50 comme un ouvrage terminé et il sait que ce texte attend avec d'autres de prendre place dans le vaste commentaire sur le Psautier dont les éléments se réunissent peu à peu. Au printemps de 390, en apprenant le massacre de Thessalonique[95], Ambroise décide d'extraire ce commentaire du psaume 50 du recueil en question et de lui donner une forme adaptée aux exigences de la situation. La dédicace de l'œuvre à Théodose doit donc dater du printemps ou de l'été 390.

Ce traité d'Ambroise est donc, comme on le voit, une œuvre pourvue de multiples significations. C'est tout d'abord une élégante adaptation latine des commentaires de Didyme et d'Origène sur le psaume 50. A ce point de vue, elle a contribué, comme une grande partie de l'œuvre d'Ambroise, à trans-

---

95. C. Schenkl, dans C.S.E.L., t. 32, pars secunda, p. v, n'a pas exclu cette hypothèse, bien qu'il place la rédaction de l'Apologia entre 382 et 386 : « ... nihil tamen obstat, quo minus Ambrosium id postea Theodosio misisse credamus. Quod cur fecerit uario modo explicari potest. Ac primum Theodosium ipsum id ab eo expostulauisse haud improbabile tibi uidebitur, si epistulae memineris, qua ille Ausonium ut scriptiones suas secum communicaret rogauit. Deinde sua sponte Ambrosius hunc librum imperatori mittere potuit perfectam regis summi imaginem ei ad imitandum propositurus. Neque sine causa factum esse ut puto ut Dauidis bellicae et imperatoriae uirtutes in hoc libello tantis laudibus celebrentur, tam saepe uenia et misericordia eius praedicentur. Ac re uera inter illum et Theodosium similitudinem quandam intercedere nemo negabit. Nam et hic bello inclaruit uirtuteque sua rem publicam seruauit ac restituit et inimicis libenter ueniam impertiuit, denique, quae res maximi momenti est, sicut Dauid delicto a se commisso uehementer doluit humilique modo paenitentiam egit. Ac talem eius imaginem Ambrosius in oratione quae de obitu Theodosii inscribitur expressit. Ceterum utrum ante an post stragem illam Thessalonicensem hic liber ad imperatorem missus sit quis quaeso diiudicabit ? Hoc tamen certum est codices quibus utimur ex exemplo Theodosio dicato originem duxisse. » Cf. également W. Ensslin, « Die Religionspolitik des Kaisers Theodosius d. Gr. », dans Sitzungsberichte der Bayerischen Akademie der Wissenschaften, Phil.-Hist. Kl., Munich, 1953, p. 59 : « Unentschieden bleibt ob Ambrosius damals oder schon früher seine Apologia prophetae Dauid ad Theodosium Augustum dem Kaiser gewidmet hat. »

mettre à l'Église d'Occident, sous une forme anonyme, des thèmes théologiques origéniens. C'est aussi une très belle évocation, vivante et sensible, de la figure de David, qui rassemble, aux yeux d'Ambroise, les traits du roi idéal. Nous sommes ainsi en présence d'une sorte de « Politique tirée de l'Écriture sainte », qui servira de modèle aux évêques carolingiens quand ils composeront, à l'aide de modèles bibliques, le portrait du prince parfait[96]. Enfin, si l'on admet notre hypothèse concernant la dédicace à l'empereur, c'est une œuvre politique. Quels que soient les jugements d'ensemble que l'on voudra porter sur la politique religieuse d'Ambroise — l'affaire de Kallinikon n'est pas très glorieuse pour lui —, on ne pourra nier qu'en protestant contre le massacre de Thessalonique et surtout en persuadant Théodose de faire pénitence et de développer une législation qui empêcherait dans l'avenir le retour de pareils excès[97], Ambroise a fait un de ces actes politiques — trop rares dans l'histoire de l'Occident — qui attestent l'exigence absolue, la transcendance, la pureté intransigeante de la conscience morale. Dans cette perspective, l'*Apologia Dauid*, exhortation à la conversion, destinée à un roi coupable, est un ouvrage qui revêt une signification historique exceptionnelle.

---

96. Cf. P. HADOT, art. «Fürstenspiegel», dans *Reallexikon für Antike und Christentum*, t. VIII, 1972, col. 555-631 (ajouter à la bibliographie concernant la littérature d'époque carolingienne : E. RIEBER, *Die Bedeutung alttestamentlicher Vorstellungen für das Herrscherbild Karls des Grossen und seines Hofs*, Tübingen 1949 ; E. EWIG, « Zum christlichen Königsgedanken im Frühmittelalter », dans *Das Königstum, Mainauer Vorträge* 1954, Mainau 1956.

97. Cf. *Cod. Theod.*, IX, 40, 13 : dans l'avenir ne procéder aux exécutions que trente jours après que l'empereur les aurait ordonnées.

CHAPITRE IV

PRINCIPES D'ÉDITION

Je n'ai pas la prétention de proposer une édition critique définitive de l'*Apologia Dauid*. Un tel travail eût été inséparable d'une étude générale de la tradition manuscrite des œuvres d'Ambroise et eût dépassé ainsi ma compétence. Ce travail d'ensemble a d'ailleurs été entrepris par d'autres, qui sont plus qualifiés que moi. J'ai cherché seulement à améliorer du mieux que j'ai pu le texte proposé par C. Schenkl[98] en 1897 afin que la traduction proposée par M. Cordier puisse reposer, autant que possible, sur un texte plus sûr. En effet, le texte de Schenkl se révèle souvent fautif par suite d'erreurs dans les collations ou dans le choix des variantes, mais surtout parce qu'il ignorait l'existence de l'important manuscrit *K*.

L'apparat critique que je propose n'est donc pas destiné à renseigner le lecteur sur l'état général de la tradition manuscrite. Il est rédigé dans le seul but d'expliquer *pour quelle raison, à tel ou tel endroit, le texte d'Ambroise que je retiens est différent du texte de Schenkl*. Il signale également les conjectures de Schenkl et, très rarement, des variantes intéressantes non retenues. Comme il est assez difficile très souvent, en lisant l'apparat critique de Schenkl, de savoir exactement sur quels manuscrits il fonde son texte, j'ai désigné par *s* le groupe mal déterminé de manuscrits sur lequel cet éditeur s'est appuyé

98. *Ambrosii Opera*, dans *C.S.E.L.*, t. 32, pars secunda, Vienne 1897, p. 299 s.

pour justifier telle ou telle leçon et j'ai désigné par *Schenkl* les conjectures qu'il avait proposées.

A part quelques corrections, le texte ici imprimé reproduit la ponctuation et l'orthographe de Schenkl. D'une manière générale, les problèmes orthographiques sont passés sous silence dans l'apparat.

Témoins du texte

Première partie : § 1, 1 - § 41, 4 (Doec)

En ce qui concerne la première partie, nous possédons trois excellents témoins, indépendants les uns des autres :

K : *Cassellanus* = Kassel, Landesbibliothek, *Theol. F. 21*, VIIIe siècle, selon A. Lœwe. Décrit par A. Lœwe, *Codices latini antiquiores*, Oxford, t. VIII, p. 33, n° 1134 (origine insulaire supposée) ; et K. Christ, *Die Bibliothek des Klosters Fulda im 16. Jahrhundert*, Leipzig 1933, p. 278.

P : *Parisinus latinus 1732*, première moitié du VIIIe siècle selon A. Lœwe. Décrit par C. Schenkl, dans *C.S.E.L.*, t. 32, pars secunda, p. XXX ; Ph. Lauer, *Catalogue général des manuscrits latins de la Bibliothèque Nationale*, t. II, Paris 1940, p. 148 ; et A. Lœwe, *Codices latini antiquiores*, t. IV, p. 6, n° 534 (origine italienne supposée).

B : *Bononiensis 32*, première moitié du VIe siècle selon A. Lœwe. Décrit par O. Faller, dans *C.S.E.L.*, t. 73, pars septima, p. 66* ; par A. Lœwe, *Codices latini antiquiores*, t. VI, p. 11, n° 735 (origine italienne supposée) ; et dans *Catalogue général des* *manuscrits des bibliothèques publiques de France. Départements,* t. IV, Paris 1872, p. 592.

Pour établir le texte de la première partie de l'*Apologia*, Schenkl s'est appuyé sur l'accord de *P* et de *B*, en ignorant l'existence de *K*. Comme *B*, dans cette première partie, est mutilé, Schenkl a utilisé, en cas d'absence de *B*, le témoignage des descendants de *B*, c'est-à-dire notamment *P'* (= *Parisinus latinus 12137*), *B'* (= *Musei Britannici Add. ms. 18332*) et *O* (= *Oxoniensis Bodleianus 137*). Schenkl a reconnu que *P* avait une valeur bien supérieure à celle de *B* (p. XXXV-XXXVI), mais il n'a pas toujours tenu compte de ce fait et surtout son ignorance de *K* l'a privé d'un témoin extrêmement important.

Pour réaliser l'édition critique du texte de cette première partie, j'ai collationnné les manuscrits *K*, *P*, *B*, ainsi que le descendant de *B*, *P'* :

P' : *Parisinus latinus 12137*, IXe siècle. Décrit par C. SCHENKL dans *C.S.E.L.*, t. 32, pars prima, p. LXI, et pars secunda, p. XXIII et XXXIII.

Le texte que je propose se fonde avant tout sur l'accord entre *K*, *P* et *B* (ou les descendants de ce dernier). Il apparaît que *K*, tout en comportant certaines bévues (tendance à répéter les mots qu'il vient d'écrire) et certaines omissions, est la copie d'un très ancien et très bon manuscrit, et qu'il est souvent le seul à conserver une bonne leçon, comme on le voit clairement en 5, 3 et 36, 23. En cas de désaccord entre *P* et *B*, c'est presque toujours l'accord *KP* ou, parfois, *KB* qui doit être retenu. Autrement dit, *P* seul ou *B* seul ont rarement de bonnes leçons. Il est souvent extrêmement difficile de choisir entre certaines variantes (par exemple en 7, 5 ; 12, 12), surtout lorsqu'elles portent uniquement sur l'ordre des mots. Tant qu'une étude générale du texte scripturaire d'Ambroise et un index complet de son vocabulaire et de ses tournures n'existeront pas, il sera toujours impossible de décider d'une manière sûre entre des leçons qui ont souvent une égale probabilité.

Deuxième partie : § 41, 4 (Syri) - § 85, 11

La seconde partie de l'*Apologia* manque dans *P*. Nous sommes donc privés, pour le travail d'édition, d'un excellent témoin. A sa place, nous pouvons utiliser deux de ses descendants :

B" : *Bruxellensis 1893-1899*, xie siècle. Décrit par C. SCHENKL, dans *C.S.E.L.*, t. 32, pars secunda, p. XXXI ; et J. VAN DEN GHEYN, *Catalogue des manuscrits de la Bibliothèque Royale de Belgique*, t. II, Bruxelles 1902, p. 35, n⁰ 952.

G : *Parisinus latinus 1723*, xive siècle. Décrit par Ph. LAUER, *Catalogue général des manuscrits latins...*, t. II, p. 143.

A côté de ces descendants de *P*, nous pouvons toujours utiliser *K* et *B* (qui, pour cette partie, n'est pas mutilé). D'autre part, le témoignage du manuscrit suivant se révèle important :

R : *Remensis 376*, ixe siècle. Décrit par O. FALLER, dans *C.S.E.L.*, t. 73, pars septima, p. 51* ; et dans *Catalogue général des manuscrits des bibliothèques publiques de France. Départements*, t. XXXVIII, 1904, p. 484.

Pour l'édition de la seconde partie, j'ai collationné ces manuscrits. Le texte que je propose est fondé sur l'accord entre *K*, les descendants de *P* et les manuscrits *B* et *R*. Ici encore, *K* a une valeur capitale. Il est souvent le seul à conserver une bonne leçon (45, 15 ; 65, 3-5 ; 73, 14) et c'est presque toujours l'accord *KP* (*P* étant considéré dans ses descendants) ou *KR* qui doit être retenu. Au groupe *KB*, il faut parfois préférer l'accord entre *R* et les descendants de *P*. L'association la plus fréquente est *KRB"G* (c'est-à-dire *KPR*).

J'ai comparé l'ordre des ouvrages d'Ambroise contenus dans ces différents manuscrits afin de voir si l'on pouvait en tirer des conclusions concernant la constitution du corpus ambrosien. On peut tout au plus conjecturer que la suite conservée dans *P* rassemble des œuvres qui ont été composées par Ambroise vers la même époque que l'*Apologia* : 1. *De officiis*, 2. *De Nabuthe*, 3. *De Helia*, 4. *De Tobia*, 5. *De interpellatione*, 6. *De Apologia Dauid*. Dans le manuscrit *B*, on trouve l'ordre suivant : 1. *Apologia*, 2. *De Ioseph*, 3. *De benedictionibus*, 4. *De paenitentia*, 5. *De excessu fratris*, 6. *Epistulae quattuor* (= 74, 75, 78, 80). On retrouve la même suite dans *P'* (descendant de *B*) ; mais il manque dans ce manuscrit le *De paenitentia*. Dans *K*, l'*Apologia* se trouve isolée dans un ensemble d'œuvres de saint Jérôme. Elle est placée à la suite du commentaire de Jérôme sur l'*Ecclésiaste* et avant l'*Altercatio Luciferiani et Orthodoxi*. Le manuscrit se termine par la *Lettre* 57, à Pammachius. Il y a là, certainement, d'intéressants thèmes de recherches pour les historiens des textes. Il est très possible que *P*, *K* et *B* correspondent à différents états du texte de l'*Apologia Dauid*, c'est-à-dire à différentes « éditions » au sens antique du terme. Cela expliquerait l'existence de variantes d'égale probabilité.

Je voudrais ici remercier de tout cœur Solange Sagot qui a rédigé l'apparat et l'index scripturaires et relu les épreuves avec un soin exemplaire.

Je dédie cet ouvrage à la mémoire de Marcel Richard.

Pierre HADOT

APPENDICE I

Texte grec des fragments des commentaires sur les Psaumes de Didyme et d'Origène utilisés par Ambroise

Nous reproduisons ici le texte grec des passages des commentaires sur les Psaumes d'Origène et de Didyme, qu'Ambroise a utilisés dans son *Apologia* et dont nous avons donné une version française dans les notes de la traduction. Pour la commodité du lecteur, nous avons conservé au début de chaque texte le nº du paragraphe de l'*Apologia Dauid* dans lequel on peut retrouver le parallèle ambrosien, et le nº de la note dans laquelle on peut lire la traduction française des textes d'Origène et de Didyme. On trouvera une juxtaposition des textes grecs et latins dans mon article : « Une source de l'*Apologia Dauid* d'Ambroise : les commentaires de Didyme et d'Origène sur le psaume 50 », dans *Revue des sciences philosophiques et théologiques*, t. 60, 1976, p. 205-225.

Les textes grecs d'Origène et de Didyme nous ont été conservés, sous une forme fragmentaire, dans les Chaînes sur le Psautier. On trouvera des indications générales sur ces Chaînes dans les ouvrages suivants :

R. Devreesse, *Les anciens commentateurs grecs des psaumes* (*Studi e Testi* 264), Cité du Vatican 1970.

M. Harl, *La chaîne palestinienne sur le psaume 118*, t. I, SC 189, Paris 1972, p. 30 s.

E. Mühlenberg, *Psalmenkommentare aus der Katenenüberlieferung*, I (*Patristische Texte und Studien*, t. 15), Berlin 1975, p. XI s.

Grâce à la bienveillance de M. Richard, nous avons pu ajouter aux fragments d'Origène édités par le regretté R. Cadiou, plusieurs fragments inédits tirés du manuscrit *Lavra B 83*. Sur ce manuscrit, cf. l'article suivant :

M. Richard, « Quelques manuscrits peu connus des chaînes exégétiques et des commentaires grecs sur le Psautier », dans *Bul-*

letin de l'Institut de Recherche et d'Histoire des Textes, n° 3, 1954, p. 87-106 (sous le n° 28).

Les fragments rassemblés par R. Cadiou se trouvent dans l'ouvrage suivant :

R. CADIOU, *Commentaires inédits des psaumes. Études sur les textes d'Origène contenus dans le manuscrit Vindobonensis 8*, Paris 1938, p. 82-85.

Les fragments de Didyme se trouvent dans l'ouvrage d'E. Mühlenberg cité plus haut, p. 368 s. (fragments numérotés de 532 à 551). On apportera les corrections suivantes au texte proposé par E. Mühlenberg : § 532, ligne 24 (= *Apologia*, § 6, n. 7), lire μηδὲ δοκεῖν et non μὴ δεδόκειν ; § 533, ligne 15 (*Apologia*, § 41, n. 48), lire τρίτον à la suite de πεντηκοστὸν (le mot, indispensable au sens, est attesté dans le *Baroccianus 235*) ; § 533, ligne 18 (*Apologia*, § 41, n. 48), lire διαβολὴν, exigé par le sens, au lieu de διαβολὴ, leçon des mss ; § 533, ligne 24 (*Apologia*, § 42, n. 49), lire ἀφέσεως au lieu de ἀφέσως (probablement faute d'impression); § 545, ligne 16, ajouter πάντη après γυμνωθῆναι (le mot est attesté dans le *Baroccianus*). Ces modifications au texte de Mühlenberg sont marquées d'un astérisque* dans les citations qui suivent. On trouvera, à la fin du volume, un *Index* des correspondances gréco-latines entre Ambroise, Didyme et Origène.

Apologia, § 3, note 2
Didyme, § 532 Mühlenberg

Ἀλλ' ὅρα μὴ ἐκ τούτου ἀφορμὴ γένηται κατεπιβῆναι τοῦ Δαυίδ· δικαιώσαντος γὰρ τοῦ θεοῦ οὐδείς ἐστιν ὁ κατακρίνων.

Apologia, § 4, n. 4
Didyme, § 532 M.

Εὐλαβὴς δὲ περὶ τὸν ἄνδρα γενήσει ἐπιστήσας ὡς πολυχρόνιος ὢν ὁ ἀνὴρ καὶ τὰ πλεῖστα τῶν ἐτῶν ἐν δυναστείαις καὶ βασιλείᾳ διατελέσας τοῦτο μόνον τὸ ἁμάρτημα εἰσάγεται πεποιηκὼς καὶ πρὸς τοῦτο τὸ μεμετρηκέναι τὸν λαὸν παρὰ τὸ βούλημα θεοῦ.

Apologia, § 5, n. 5
Didyme, § 532 M.

Ἀλλ' ὥστε οὐδ' ἐπίμονον τὴν ἁμαρτίαν ἔσχεν. Βασιλεὺς γὰρ ὢν τοσοῦτος καὶ τηλικοῦτος ἐλεγχθεὶς ἐφ' ᾧ ἥμαρτεν παρὰ ἀνδρὸς ἰδιώτου οὐ μόνον οὐκ ἠγανάκτησεν, ἀλλὰ καὶ ἐκάκισεν ἑαυτόν, ὡς τὸν ἐλέγχοντα προφήτην εἰπεῖν. Καὶ κύριος παρήγαγεν τὴν ἁμαρτίαν σου. Τὸ γὰρ φάναι Καὶ κύριος ἔδειξεν ὅτι καὶ αὐτὸς ὁ Δαυὶδ σφοδροτάτῃ μετανοίᾳ παραγαγὼν ἦν τὴν ἁμαρτίαν.

Apologia, § 6, n. 7
Didyme, § 532 M.

Ἐροῦμεν οὖν ὅτι οἱ ἄλλοι ἄνθρωποι καταπίπτουσιν ἁμαρτάνοντες, οἱ δὲ ἅγιοι τρέχοντες τὸν τῆς σωτηρίας δρόμον, εἴ ποτε ὡς ἄνθρωποι ἀπροσεκτήσαντες προσκόψοιεν, οὐ καταπίπτουσιν ἀλλ' ἐπιμένουσι τῷ δρόμῳ, ὡς ἀδιαστάτου μείναντος τοῦ δρόμου μηδὲ δοκεῖν* αὐτοὺς προσκεκοφέναι.

Apologia, § 7, n. 9
Didyme, § 532 M.

Καὶ δι' ἄλλα δὲ πολλὰ λυσιτελῆ ἀνεγράφησαν τὰ τῶν ἁγίων ἁμαρτήματα ὧν ἓν τοῦτο· ἐπεὶ γὰρ ὑπερβάλλουσαν ἀρετὴν εἶχον ἐπὶ μίμησιν τούτων καλούμενοι, ὀκνοῦντες ἐπροφασίσαντο ἂν θείαν μοῖραν εἶναι καὶ ἁμαρτίας ἀνεπίδεκτον τοὺς ἁγίους, αὐτοὺς δὲ μὴ ὄντας τοιούτους, ἀδυνάτως εἶχον μιμήσασθαι τοὺς τηλικούτους ἁγίους· ὅθεν ἐνδέδωκεν ἡ πρόνοια πρόφασιν ἁμαρτίας περὶ αὐτοὺς γεγενῆσθαι, ἵν' ὥσπερ ἀρετῆς οὕτως καὶ μετανοίας διδάσκαλοι ὦσιν τῶν παιδευόντων τότε ἀνυόντων, ὅτ' ἂν πράξαντες ὦσιν.

Apologia, § 8, n. 13
Didyme, § 532 M.

Τάχα δὲ καὶ οὗτοι οἱ τηλικοῦτοι εἰς ἄκρον ἀρετῆς φθάσαντες ἔδοξαν ἰδίᾳ δυνάμει ἀλλὰ μὴ θεοῦ συνεργείᾳ ἐπὶ τοῦτ' ἐληλυθέναι· ἵν' οὖν μὴ εἰς οἴησιν πέσωσιν, παρεῖδεν ὀλίγον ἡ θεία χάρις, ἵν' ὀλισθήσαντες ζητήσωσιν τὸν ἀρωγὸν τῆς ἑαυτῶν ἀσθενείας ἐν συναισθήσει γεγενημένοι.

Apologia, § 41, n. 48
Didyme, § 533 M.

Πεντηκοστὸς δὲ οὗτος ψαλμὸς ἀναγέγραπται οὐ ματαίως. Ἔχει γὰρ ἁρμονίαν πρὸς ἔλεον καὶ ἄφεσιν ὁ ἀριθμός, ἐπεί, εἰ τὸ ἀκόλουθον τῆς ἱστορίας ἐτήρει τὸ συγγραφικὸν πνεῦμα, προέτασσεν τούτου τὸν πεντηκοστὸν πρῶτον καὶ πεντηκοστὸν τρίτον* καὶ τοὺς ἐφ' ἑξῆς. Ὁ γὰρ πεντηκοστὸς πρῶτος ἐπιγραφὴν ἔχει περιέχουσαν τὴν διαβολὴν Δωὴκ τοῦ Σύρου· αὕτη δὲ ἡ ἱστορία πρὸ βασιλείας ἐστὶν τοῦ Δαυίδ. Καὶ ἡ τοῦ πεντηκοστοῦ τρίτου τῶν Ζιφαίων διαβολὴν* πρὸς τὸν Σαοὺλ περὶ τοῦ Δαυὶδ ὡς κεκρυμμένου παρ' αὐτοῖς περιέχει· καὶ τοῦτο δὲ τὸ διήγημα πρὸ τῆς βασιλείας τοῦ Δαυὶδ γέγονεν, ἡ δὲ πρὸς τὴν Βηθσαβεὲ σύνοδος βασιλεύοντος τοῦ Δαυὶδ γέγονεν.

Apologia, § 42, n. 49
Didyme, § 533 M.

Εἴπερ οὖν τὸ ἀκόλουθον τῆς ἱστορίας ἐσῴζετο, οὐκ ἂν οὔτε πεντηκοστὸς ἦν μετ' ἐκείνους ταττόμενος. Ὅτι δὲ ἀναλογίαν ἔχει πρὸς ἔλεον ὁ ἀριθμός,

ὁ σωτὴρ περὶ ἀφέσεως διδάσκων χρεώστας παρέλαβεν ὑπευθύνους πεντήκοντα καὶ πεντακοσίοις δηναρίοις ἀφέσεως* καὶ ἑκατέροις γεγενημένης διὰ
τὸ πεντήκοντα καὶ τὸν συγγενῆ ἀριθμὸν χρεωστεῖν· οὗτος δὲ ὁ πεντακοσιοστός
ἐστιν.

Apologia, § 42, n. 50
Didyme, § 533 M.

Καλούμενος δὲ παρ' Ἑβραίοις Ἰωβηλαῖος ὁ διὰ πεντήκοντα ἐτῶν
ἐνιαυτός ἐστιν ἑορτάσιμος ἐν ᾧ χρεῶν ἀποκοπαὶ καὶ τῶν Ἑβραίων ἐλευ-
θερίαι κτήσεων ἀποκαταστάσεις βεβαιοῦνται.

Apologia, § 42, n. 51
Didyme, § 533 M.

Ἀμέλει τὸ πάσχα σφαγέντος τοῦ ἀμνοῦ τοῦ θεοῦ τοῦ τὴν ἁμαρτίαν τοῦ
κόσμου αἴροντος, ἀναστάντος ἐκ νεκρῶν τοῦ τὴν ἄφεσιν πεποιηκότος, ὁ
λαὸς ἐπὶ πεντήκοντα ἡμέρας διάγομεν εὐφραινόμενοι τὴν πεντηκοστὴν
ἡμέραν τῆς ἐκχύσεως τοῦ πνεύματος ἀξιούμενοι.

Apologia, § 42, n. 53
Didyme, § 533 M.

Ὅθεν ἀκόλουθον καὶ τὸν περὶ μετανοίας τοῦ Δαυὶδ ψαλμὸν πεντηκοστὸν
τετάχθαι.

Apologia, § 45, n. 55
Didyme, § 535 M.

Ὥσπερ αἱ δυσέκπλυτοι βαφαὶ οὐ μιᾷ πλύσει ἀλλὰ πολλαῖς ἐξίτηλοι
γίνονται, οὕτω καὶ τὰ μεγάλα τῶν ἀνομημάτων πολλοῖς οἰκτιρμοῖς θεοῦ
ἀπαλείφεται.

Apologia, § 45, n. 58
Origène, p. 82 Cadiou

Τοῦ μηκέτι ἀνομοῦντος ἐξαλείφεται τὸ ἀνόμημα. Οὐ ταὐτὸν μέντοι γέ
ἐστιν ἐξαλειφθῆναί τινος τὸ ἀνόμημα, τῷ ἐπὶ πλεῖον πλύνεσθαί τινα ἀπὸ
τῆς ἀνομίας αὐτοῦ· ὁ δὲ ἐπὶ πλεῖον πλυθεὶς καθαρίζεται ἀπὸ τῆς ἁμαρτίας
αὐτοῦ.

Apologia, § 46, n. 59
Origène, p. 82 Cadiou

Διὰ τὸ περιπτώματα τίς συνήσει, σπάνιος ὁ ὡς προφήτης λέγων τὴν
ἀνομίαν μου ἐγὼ γινώσκω.

Apologia, § 47, n. 62
Origène, p. 82 Cadiou

Ὁ μεμνημένος τῆς ἰδίας ἁμαρτίας καὶ ἀεὶ πρὸ ὀφθαλμῶν αὐτὴν ἔχων...

Apologia, § 48, n. 67
Didyme, § 537 M.

῾Ο δὲ τὴν ἅπαξ πραχθεῖσαν ἁμαρτίαν ἐνώπιον αὐτοῦ ἔχων οὐκ ἀνάσχοιτο ἑτέραν ποιῆσαι· τῶν γάρ προτέρων ἐπιλανθανόμενοι ἑτέρας ἐνεργοῦμεν ἡμεῖς·

Apologia, § 51, n. 72
Didyme, § 538 M.

῞Οσον ἐπὶ τῷ εἶναι βασιλεὺς οὐχ ὑπέκειτο ἀνθρωπίνῳ νόμῳ, ὅθεν οὐδέ τινι τῶν νομοθετῶν ἥμαρτεν οὐδ᾽ ἐνώπιόν τινος αὐτῶν τὸ πονηρὸν ἐποίησεν· ἐπειδὴ δὲ πρὸς τῷ βασιλεὺς καὶ θεοσεβὴς εἶναι βούλεται, ὑπέκειτο τῷ τοῦ θεοῦ νόμῳ· διὸ καὶ ἥμαρτεν μόνῳ θεῷ, καὶ τὸ πονηρὸν ἐνώπιον αὐτοῦ ἐποίησεν·

Apologia, § 53, n. 75
Didyme, § 539 M.

Καὶ πάλιν· ἐπεὶ θεὸς εἶπεν ἐπιρρεπεστέραν εἶναι τὴν διάνοιαν τῶν ἀνθρώπων ἐπὶ τὰ πονηρὰ καὶ τὸ Οὐκ ἔστιν ἄνθρωπος ὃς οὐχ ἁμαρτήσεται ἁμαρτανόντων καὶ αὐτῶν τῶν τελείων, δικαιοῦται ὁ θεὸς ἐν τοῖς λόγοις ἑαυτοῦ ἐν οἷς εἶπεν πάντας ἐκκεκλικότας ἅμα ἠχρεῶσθαι· ταύτῃ δὲ καὶ νικᾷ κρινόμενος πρὸς τοὺς ἀνθρώπους ἀποδεικνὺς αὐτοὺς ἁμαρτωλούς· Συνῳδὸν τούτοις τὸ ᾽Εὰν εἴπωμεν Οὐχ ἡμαρτήκαμεν, ψεύστην ποιοῦμεν αὐτόν· εἰ γὰρ ἀπεφήνατο κατὰ πάντων ἐπιρρεπῶς ἐχόντων πρὸς ἁμαρτίαν, ὁ ἀναμαρτησίαν αὐχῶν ὅσον εἰς αὐτὸν ψεύστην ἀποφαίνει τὸν θεόν·

Apologia, § 54, n. 78
Origène, ms. *Lavra B 83*

᾽Εδικαιοῦτο δὲ ὁ θεὸς εἰκότως ἀφ᾽ ὧν ἐκεῖνοι εὐεργετούμενοι ἠγνωμόνουν·

Apologia, § 56, n. 82
Origène, p. 83 Cadiou

Οὐ σαφῶς εἴρηται τίνος ἀνομίαις, πότερον τοῦ Δαυείδ, ἢ τῆς μητρὸς αὐτοῦ· τὸ δ᾽ὅμοιον καὶ ἐπὶ ταῖς ἁμαρτίαις.

Apologia, § 59, n. 96
Didyme, § 541 M.

῾Ο γνησίως τῷ τυπικῷ πάσχα προσεληλυθὼ, ὑπὸ τοῦ αἵματος τοῦ ἐν ἡμῖν προβάτου καθαίρεται, προσαγομένου ὑσσώπου ὡς ἐν ᾽Εξόδῳ γέγραπται· ὁ δὲ τὸν ἀμνὸν τοῦ θεοῦ τὸν αἴροντα τὴν ἁμαρτίαν τοῦ κόσμου προσηκάμενος, πλυνόμενος τῷ αἵματι τῷ ἐκ τῆς σφαγῆς αὐτοῦ, ὑπὲρ χίονα λευκαίνεται. ῾Εκάτερα δὲ περὶ τὸν Δαυὶδ γέγονεν· ἐρραντίσθη γὰρ ὑσσώπῳ (τὸ αἷμα τοῦ τυπικοῦ προβάτου) καὶ ἐπλύθη ὑπὸ ᾽Ιησοῦ ὡς ὑπὲρ χίονα λευκανθῆναι.

Apologia, § 59, n. 99
Origène, p. 83 Cadiou

Ζητήσεις ὕσσωπον ᾧ ῥαντίζει ὁ θεὸς ἵνα καθαρίσῃ, καὶ πῶς πλυνεῖ ἵν' ὑπὲρ χιόνα λευκάνῃ · ὥστ' ἂν λεχθῆναι περὶ τῆς τοιαύτης ψυχῆς · Τίς αὕτη ἡ ἀναβαίνουσα λελευκανθισμένη ;

Apologia, § 59, n. 100
Didyme, § 541 M.

Χίονα δὲ νοητὴν ἐνταῦθα σημαίνει.

Apologia, § 60, n. 105
Origène, ms. *Lavra B 83*

῾Ως πάντα τὰ ὀστᾶ μου ἐροῦσιν· Κύριε τίς ὅμοιός σοι ; Τὰ τοῦ δικαίου, οὕτως καὶ ἀγαλλιάσονται ὀστᾶ τεταπεινωμένα. Πιθανῶς ἄν τις εἴποι ὀστέα τεταπεινωμένα τὰ τοῦ νηστεύσαντος συνεχῶς.

Apologia, § 60, n. 106
Didyme, § 542 M.

Πολλάκις ἤδη δόγματα καὶ ψυχῆς δυνάμεις εἶναι εἴρηται τὰ ὀστᾶ· ταῦτα ταπεινοῦται ὑπὸ ἁμαρτίας καὶ σοφιστικῆς γοητείας. Θεοῦ δὲ ἀκουτί-σαντος ἀγαλλίασιν καὶ εὐφροσύνην, ἀγαλλιάσεται τὰ τεταπεινωμένα ὀστᾶ.

Apologia, § 63, n. 111
Didyme, § 543 M.

᾽Εξαλείφονται δὲ ἁμαρτίαι ἀπὸ τῆς μετουσίας τῶν ἀρετῶν· ὡς γὰρ ἡ ἐπιστήμη εἰς ψυχὴν ἐλθοῦσα ἐξαλείφει καὶ ἀφανίζει τὴν ἄγνοιαν, οὕτω παρουσίᾳ ἀρετῆς τελείας ἐξαλείφεται πᾶσα ἁμαρτία.

Apologia, § 64, n. 113
Didyme, § 544 M.

᾽Εὰν πάσας τὰς ἁμαρτίας μου ἐξαλείψῃς τὰς ἐγγεγραμμένας διὰ τῶν τυπώσεων τῇ καρδίᾳ μου, καρδίαν κτίζεις καθαρὰν ἐν ἐμοὶ πάσης κακίας στερομένην, ἀλλὰ Καὶ πνεῦμα εὐθὲς ἐγκαίνισον ἐν τοῖς ἐγκάτοις μου.

Apologia, § 65, n. 115
Origène, p. 84 Cadiou

᾽Εγκάτοις νοητοῖς περὶ ὧν εἴρηται· Εὐλόγει ἡ ψυχή μου τὸν Κύριον καὶ πάντα τὰ ἐντός μου τὸ ἅγιον αὐτοῦ.

Apologia, § 65, n. 116
Didyme, § 544 M.

Ἔγκατα δὲ ψυχῆς αἱ ὀρθαὶ ἔννοιαι καὶ σπουδαῖαι διαλήψεις περὶ ὧν φησιν· Καὶ πάντα τὰ ἐντός μου εὐλογεῖτε τὸ ὄνομα αὐτοῦ.

Apologia, § 66, n. 118
Didyme, § 544 M.

Εὐθὲς δ᾽ ἐστὶν πνεῦμα ἤτοι τὸ ἅγιον ἢ ἡ συνείδησις ἡ ὀρθὴ ἢ ὃ λέγει πνεῦμα τοῦ ἀνθρώπου τὸ ἐν αὐτῷ. Σημειωτέον ὅτι ἡ ἔκτισεν φωνὴ οὐκ οὐσίωσιν σημαίνει ἀλλὰ σχέσιν τινὰ ἐπιτεινομένην οἷς ἂν παραγένηται.

Apologia, § 67, n. 120
Origène, p. 84 Cadiou

Παρὰ τὸ ἐκ προσώπου τινὰς γίνεσθαι ἀρχόντων ἢ δεσποτῶν, πεποίηται τὸ Μὴ ἀπορρίψῃς με ἀπὸ τοῦ προσώπου σου.

Apologia, § 70, n. 124
Didyme, § 545 M.

Τῶν σπουδαίων ἀδιαστάτως παρισταμένων τῷ τοῦ θεοῦ προσώπῳ μόνος ὁ ἁμαρτάνων ἐκβάλλεται καὶ ἀπορρίπτεται αὐτοῦ.

Apologia, § 71, n. 125
Origène, p. 84 Cadiou

Οὐδὲ τὸ ἅγιον πνεῦμα ἔξεισιν ἀπὸ ψυχῆς ἀνθρώπου, χωρὶς τοῦ θεοῦ τοῦ ἀντανιαιροῦντος αὐτὸ ἀφ᾽ ὧν ἂν κρίνῃ ὁ θεός.

Apologia, § 72, n. 127
Origène, ms. *Lavra B 83*

Ὧι ὀφείλεταί τι ἀποδίδοται· ἀποδίδοται οὖν τῇ λογικῇ φύσει ἀγαλλίασις σωτηρίου θεοῦ.

Apologia, § 72, n. 128
Origène, ms. *Lavra B 83*

Ὁ τῷ ἡγεμονικῷ στηριζόμενος πνεύματι οὐ δουλεύσει τῇ ἁμαρτίᾳ... Πρῶτον δὲ καρδία κτίζεται καθαρά, εἶτα ἐπὶ ταύτῃ εὐθὲς πνεῦμα ἐγκαινίζεται τοῖς ἐγκάτοις καὶ ταῦτα μὴ ἀνταινερεθέντος που τοῦ ἁγίου πνεύματος. Εἶτα μετὰ τὰ δύο πνεύματα πνεύματι ἡγεμονικῷ τις ὑπὸ θεοῦ στηρίζεται ἵνα ἑδραῖός τις καὶ ἄσειστος ᾖ.

Apologia, § 73, n. 129
Origène, ms *Lavra B 83*

Μετὰ ταῦτα περὶ τῶν τριῶν ἐφίστημι πνευμάτων, μήποτε ἀκολούθως τῷ ἁγίῳ πνεύματι τὸ μὲν εὐθὲς τοῦ σωτῆρός ἐστιν, τὸ δὲ ἡγεμονικὸν τοῦ πατρός· τὸ μὲν γὰρ ἀνακαινοῖ, τὸ δὲ στηρίζει.

Apologia, § 73, n. 131
Didyme, § 545 M.

Ἑκατέρως δὲ καὶ ἐν τούτοις πνεῦμα λέγει ἤτοι τὸ ἅγιον ἄρχον καὶ ἡγεμονεῦον ἢ τὸ τοῦ ἀνθρώπου τὸ ἐν αὐτῷ ἕτερον ὂν τῆς τοῦ ἀνθρώπου ψυχῆς. Τοῦτο δὲ τὸ ἡγεμονικὸν πνεῦμα τὸ κατὰ τὴν προτέραν ἐκδοχὴν στηριγμὸν καὶ βεβαίωσιν οἷς ἂν παραγένηται ὀρέγει.

Apologia, § 76, n. 134
Didyme, § 547 M.

Ὡς γὰρ ἀρίστου βίου μίμημα καὶ ὑπογραμμὸν ἔχουσιν τοὺς καθορθώσαντας, οὕτω καὶ οἱ περὶ γνῶσιν ἐσφαλμένοι ἔχουσι μιμήσασθαι τὸν εἰς μετάνοιαν ἐρχόμενον, ἀσεβεῖς ὄντες πρὸς θεὸν ἐπιστρέφοντες.

Apologia, § 77, n. 135
Didyme, § 548 M.

Ἐπεὶ δι' ὧν ἐποίησα πρὸς θάνατον ἁμαρτιῶν πλήρης εἰμὶ αἱμάτων, ἐκ τούτων ῥῦσαί με ὁ καθάπαξ θεὸς ὢν καὶ ἡμέτερος. Τάχα δὲ καὶ ὁ Δαυὶδ ἐκ τῶν τοῦ Οὐρίου καὶ εἴ τινες ἄλλοι συναπέθανον αὐτῷ ῥυσθῆναι ἀξιοῖ ὑπὸ τοῦ θεοῦ ὄντος τοῦ θεοῦ τῆς σωτηρίας αὐτοῦ.

Apologia, § 77, n. 136
Origène, p. 85 Cadiou

Δύναται μὲν ὡς ἀνὴρ αἱμάτων ταῦτα λέγειν ὁ Δαυείδ. Δύναται δὲ καὶ πᾶς ὁ ἔνοχος αἵματί τινος, ἤτοι ἁπλῶς, ἢ τῷ θανατικῆς ἁμαρτίας αἴτιος γεγονέναι τινί.

Apologia, § 79, n. 138
Didyme, § 549 M.

Ὁ λόγος ὁ ἡμέτερος Γλῶσσά μου καλούμενος ἐν τῷ ἀεὶ περὶ τῆς δικαιοσύνης σου φθέγγεσθαι ἀγαλλιάσεται τὴν δικαιοσύνην σου. Ἐκείνου δ' ἀνοίγει τὰ χείλη ὁ θεὸς τοῦ λαβόντος λόγον ἐν ἀνοίξει τοῦ στόματος αὐτοῦ, δι' ὃ καὶ τὸ στόμα αὐτοῦ ἐξαγγελεῖ τὴν αἴνεσιν τοῦ θεοῦ ἀεὶ αἰνοῦν καὶ εὐχαριστοῦν αὐτῷ.

Apologia, § 82, n. 144
Didyme, § 550 M.

Ὁ περὶ ἁμαρτίας ἰδίας ἐξομολογούμενος τί βούλεται περὶ τῆς Σιὼν καὶ Ἱερουσαλὴμ διαλέγεσθαι ; Ἀλλ' ἐπεὶ εἴπομεν μὴ πάντως αὐτὸν βεβλάφθαι ἐκ τοῦ ἐπταικέναι ἐν τῷ συντόνῳ δρόμῳ, τούτου χάριν προφητικὴν ἔτι ἕξιν ἔχων καὶ τὴν τοῦ ἁγίου πνεύματος κοινωνίαν εὔχεται καὶ προφητεύει

'Αγαθύνον λέγων τὴν Σιὼν ἐν τῇ σῇ εὐδοκίᾳ τῷ υἱῷ σου γεγενημένην καὶ τῷ πνεύματι συνεγγίζουσαν· ἀλλὰ καὶ οἰκοδομεῖται τὰ τείχη τῆς Ἱερουσαλήμ. Ἀγγέλων δὲ φρουραὶ ταῦτα ἢ δογμάτων ἀκαταλύτων ἵδρυσις.

Apologia, § 82, n. 147
Origène, p. 85 Cadiou

Ὅτι λόγῳ ἀποδεικτικῷ καὶ ἀκαθαιρέτῳ καὶ ἀναντιρρήτῳ βεβαιοῦται ἀληθὲς δόγμα, τότε οἰκοδομεῖται τὰ τείχη Ἱερουσαλήμ· οἰκοδομηθέντων δὲ τῶν τειχῶν Ἱερουσαλήμ. εὐδοκεῖ ὁ θεὸς θυσίαν δικαιοσύνης.

Apologia, §§ 84-85, n. 148
Didyme, § 551

Δικαιοσύνην φησὶν τὴν διὰ πίστεως Ἰησοῦ Χριστοῦ εἰς πάντας τοὺς πιστεύοντας συνισταμένην. Αὕτη δὲ ἡ δικαιοσύνη ἀναφορὰ καὶ ὁλοκαυτώματα πνευματικὰ τυγχάνει καὶ τὸ Θύσατε θυσίαν δικαιοσύνης· ἀλλὰ καὶ ἐπὶ τὸ πνευματικὸν θυσιαστήριον ἀνοίσουσι μόσχους γεωπόνους ἕλκοντας ἄροτρα ψυχὰς οὐκ ἄλλας τυγχανούσας τῶν ψυχῶν τῶν μαρτύρων ὀφθείσας παρὰ τὸ ἐπουράνιον θυσιαστήριον ἀναφερομένας ἐπ' αὐτῷ μόσχων δίκην. Ἐν γὰρ τῇ Ἀποκαλύψει Ἰωάννου αἱ τῶν πεπελεκισμένων ψυχαὶ διὰ τὸ ὄνομα Ἰησοῦ καὶ τὴν μαρτυρίαν αὐτοῦ ὑπὸ τὸ θυσιαστήριον τὸ ἐπουράνιον τεθεώρηνται.

Ambroise n'utilise pas Origène pour les versets 3, 8, 11, 12a (du psaume 50) ; il n'utilise pas Didyme pour les versets 3 (= Didyme, § 534), 4 (= § 536), 8 (= § 540) ; il l'utilise en partie seulement pour le verset 15 (= § 546).

Tableau récapitulatif

Le tableau suivant permettra de situer les emprunts à Didyme et à Origène dans l'ensemble de l'œuvre d'Ambroise.

Apologia	Didyme	Origène	Apologia	Didyme	Origène
			58		
			59	541	Vindob.
§ 1			60	542	Lavra
2			61		
3	§ 532		62		
4	532		63	543	
5	532		64	544	
6	532		65	544	Vindob.
7	532		66	544	
8	532		67		Vindob.
9-40			68		
41	533		69		
42	533		70	545	
43			71		Vindob.
44			72		Lavra
45	535	Vindob.	73	545	Lavra
46		Vindob.	74		
47		Vindob.	75		
48	537		76	547	
49			77	548	Vindob.
50			78		
51	538		79	549	
52			80		
53	539		81		
54		Lavra	82	550	Vindob.
55			83		
56		Vindob.	84	551	
57			85	551	

APPENDICE II

Zara et Pharès

(§ 11)

Le texte d'Ambroise concernant les deux jumeaux nés de Thamar est à peu près incompréhensible sans un commentaire détaillé. Notons tout d'abord qu'Ambroise s'exprime inexactement en disant que Juda désira s'unir à sa propre bru, après la mort de son fils. Juda ignorait en effet que la prostituée rencontrée sur le chemin était sa bru, Thamar. Les jumeaux issus de cette union sont Zara et Pharès. Au moment de la naissance (*Gen.* 38, 27 s.), la main de Zara sortit en premier. L'accoucheuse la prit et noua à cette main un fil écarlate en disant : « Celui-ci est sorti en premier. » Mais Zara retira sa main et son frère sortit. La sage femme dit alors (selon le texte grec) : « Comment la clôture a-t-elle été fendue par toi ? » (τί διεκόπη διὰ σὲ φραγμός ;). Et on appela ce jumeau Pharès (fente). Ensuite sortit Zara, tenant à sa main le fil écarlate.

Pour Ambroise, Zara et Pharès sont les types des deux Alliances : Zara est la figure de la Nouvelle Alliance et de l'Église, Pharès la figure du peuple juif, vivant sous la Loi. Ambroise développe cette exégèse principalement dans l'*Exp. Eu. sec. Lucam*, III, 17-29, à la suite d'Eusèbe de Césarée, *Quaest. evang. ad Stephanum*, VII, 5-6 (*P G* 22, col. 908-909). Dans cette perspective, il nous faut expliquer les différents éléments du texte.

Tout d'abord : « C'est ce second peuple qui a montré le premier sa main, mais qui est apparu au jour en second. » Il s'agit évidemment du peuple de l'Église, dont le Christ est la tête. Zara en est le type. La main qui apparaît tout d'abord correspond à l'économie prémosaïque, au mode de vie des saints antérieurs à la Loi de Moïse, qui préfigure le mode de vie de la Nouvelle Alliance, libre de la Loi. C'est ce qu'explique Ambroise (*Exp. Eu. sec. Lucam* III, 21) : « Celui qui est le type de la grâce (donc Zara) a d'abord passé la main, parce que l'action de la grâce a précédé : elle a existé dans Job, Melchisédech, Abraham, Isaac, Jacob, qui vivaient par la foi sans la Loi. » Zara représente donc à la fois le règne de la grâce qui existait avant le règne de la Loi (c'est la main sortie en premier) et le règne de la grâce du Christ (c'est la naissance proprement dite qui se fait postérieurement à celle de Pharès, figure du peuple juif). Ceci nous permet de comprendre la phrase de l'*Apologia Dauid* : « Serait-ce que le Seigneur Jésus lui-même, né de la tribu de Juda, a voulu annoncer à l'avance ses œuvres avant de naître pour nous de la Vierge ? » Cette « annonce à l'avance des œuvres du Christ » correspond donc à la pratique « des œuvres du Christ » par les saints antérieurs à la Loi, comme Job, Melchisédech et Abraham. Cette doctrine est empruntée par Ambroise à Eusèbe de Césarée, *Quaest. evang.*, VII, 4 (*PG* 22, col. 909 A). Voilà ce que représente la main sortie en premier.

Quant à la naissance de Zara, elle figure la naissance du Christ et l'avènement définitif de l'économie chrétienne. Comme le dit Ambroise (*Exp. Eu. sec. Lucam*, III, 29), le Christ ramène les usages de la vie ancienne : le dernier Adam rétablit la liberté, c'est-à-dire l'indépendance à l'égard de la Loi, dans laquelle vivait le premier Adam. Le texte de l'*Apologia Dauid* que nous commentons rappelle que le Christ est « né de la tribu de Juda ». Il y a là en même temps une allusion à la généalogie du Christ (*Matth.* 1, 3) : « Juda engendra, de Thamar, Pharès et Zara », et un rappel de l'*Épître aux Hébreux* (7, 14), où il est dit explicitement que le Christ est « de la tribu de Juda ». Le sens du contexte dans l'*Épître aux Hébreux* confirme l'exégèse d'Ambroise et d'Eusèbe de Césarée concernant la figure de Zara. La tribu de Juda est une tribu non sacerdotale. Le Christ est donc selon l'*Épître aux Hébreux*, « prêtre selon l'ordre de Melchisédech », c'est-à-dire, non pas selon l'ordre de la Loi, mais « selon la puissance d'une vie indissoluble », donc selon la préfiguration de la Nouvelle Alliance dans le régime antérieur à la Loi, celui des saints comme Job, Melchisédech et Abraham. Ambroise (*Exp. Eu. sec. Lucam*, III, 21-22) oppose Pharès, qui correspond à la vie sacerdotale mosaïque, et Zara, qui correspond à la grâce de la liberté étrangère à la Loi.

Il nous faut expliquer maintenant dans notre texte la formule : « Deux peuples devaient être engendrés, dont le second, par le signe de la croix, ferait brèche dans la ' paroi ' et les remparts du premier. » Le signe de la croix est une allusion au fil écarlate dans la main de Zara (cf. *Exp. Eu. sec. Lucam,* III, 24). La brèche dans la paroi est une allusion à l'exclamation de la sage-femme dans le texte grec : « Comment la clôture a-t-elle été fendue par toi ? » Tout laisse penser qu'Ambroise considère que la sage-femme s'adresse ici à Zara en laissant entendre qu'il a ouvert le chemin à Pharès. Ambroise retient de cette parole l'idée suivante : de même que dans l'*Épître aux Éphésiens* (2, 14-16), il est dit que le Christ a détruit « la paroi médiane de la clôture », de même il est dit ici que Zara a fait une brèche dans la clôture. Cette clôture n'est autre que la Loi ; telle est l'exégèse d'Ambroise, *Exp. Eu. sec. Lucam,* III, 26-27 (*parietem legis*) à la suite d'Eusèbe, *Quaest. evang.,* VII, 6 (*PG* 22, col. 909 D), qui s'appuie également sur *Éphés.* 2, 14-16. C'est donc le peuple de la Nouvelle Alliance, représenté par Zara, qui fait brèche dans la clôture du peuple de l'Ancienne Alliance, en abolissant la domination de la Loi.

ANALYSE

Sigles[1] et abréviations

Manuscrits utilisés pour la première partie (§ 1, 1 à § 41, 4)

B	=	*Bononiensis 32* (vɪᵉ s.)
K	=	*Cassellanus, Theol. F. 21* (vɪɪɪᵉ s.)
P	=	*Parisinus latinus 1732* (vɪɪɪᵉ s.)
P'	=	*Parisinus latinus 12137* (ɪxᵉ s.)

Manuscrits utilisés pour la seconde partie (§ 41, 4 à § 85, 11)

B	=	*Bononiensis 32* (vɪᵉ s.)
B"	=	*Bruxellensis 1893-1899* (xɪᵉ s.)
G	=	*Parisinus latinus 1723* (xɪvᵉ s.)
K	=	*Cassellanus, Theol. F. 21* (vɪɪɪᵉ s.)
R	=	*Remensis 376* (ɪxᵉ s.)

s	=	leçon de Schenkl appuyée sur des mss qui ne sont pas énumérés
Schenkl	=	conjecture de Schenkl
*A*ᵃᶜ	=	*ante correctionem*
*A*ᵖᶜ	=	*post correctionem*
*A*¹	=	*correctio ipsius scribae*
add.	=	*addidit*
m.	=	*manu*
om.	=	*omisit*
s.v.	=	*supra versum*
scr.	=	*scripsit*

1. Pour plus de commodité, les sigles des mss *B B" P P' R* utilisés par Schenkl ont été conservés dans la présente édition.

TEXTE ET TRADUCTION

DE APOLOGIA PROPHETAE DAVID
AD THEODOSIVM AVGVSTVM

I, 1. Apologiam prophetae Dauid praesenti adripuimus stilo scribere, non quo ille indigeat hoc munere, qui tantis meritis enituit uirtutibusque effloruit, sed quia plerique gestorum eius lecta serie non introspicientes uim scriptura-
5 rum uel occulta mysteriorum mirantur quomodo tantus propheta adulterii primo, deinde homicidii contagia non declinauerit. 2. Ideo nobis studio fuit ipsam recensere historiam, quae patuisse peccato uidetur. Namque in secundo Regnorum legimus libro [a] quoniam deambulans Dauid in domo sua regia prospexerit lauantem mulierem
5 — nomen illi Bersabee — forma egregia et uultus decore praestantique admodum facie, quibus inlecebris delenitum potiundae eius sumpsisset affectum. Erat autem mulier uiro nupta ; Vri nomen marito, cui mandatis regiis conposita scaena est necis. Nam etsi nihil ad impedimentum cupidita-
10 tis, plurimum tamen ad uerecundiam adulterii obstare uita eius aestimabatur.

2, 5 forma egregia et uultus decore *scripsi* : formae graegia et uultus decore *K*   formae gratia et uultus decore *P'*   formae egregiae et gratia et uultu decora *P*   formae egregiae et gratia et uultu decoram *Schenkl* (*sed perperam*, *nam* formae gratia [*P'*] *et* formae egregiae et gratia [*P*] *falsae lectiones pro* forma egregia)   ‖
7 potiunde *Kac* (ae *m²*) : potiendi *Ps*   potiendae *P'*   ‖   sumpsisset *KPP'* : sumpsisse *s.*

2 a. Cf. II Sam. 11, 2-26.

SUR L'APOLOGIE DU PROPHÈTE DAVID

A THÉODOSE AUGUSTE

INTRODUCTION

I, 1. Si nous entreprenons aujourd'hui d'écrire l'apologie du prophète David, ce n'est pas qu'un tel ouvrage soit nécessaire pour un homme qui resplendit de si grands mérites et brilla de si belles vertus ; mais c'est parce que la plupart, après avoir lu le récit de ses faits et gestes, faute de pénétrer le sens des Écritures ou les arcanes des mystères, s'étonnent qu'un si grand prophète n'ait pas évité la souillure de l'adultère d'abord, puis de l'homicide[1]. **2.** C'est pourquoi nous avons tenu à reprendre cette histoire, qui semble avoir été envahie par le péché. Nous lisons en effet dans le deuxième livre des Rois[a] que David se promenant dans sa demeure royale aperçut, alors qu'elle se baignait, une femme nommée Bersabée, d'une remarquable beauté aussi bien par le charme de son visage que par son corps en tout point admirable ; autant d'attraits qui le séduisirent et lui firent éprouver le désir de la posséder. Or la femme était mariée et son époux s'appelait Urie. Sur l'ordre du roi, on prépara une mise en scène pour l'assassiner. En effet, bien que la vie d'Urie ait pu paraître un obstacle négligeable, lorsqu'il s'était agi d'empêcher David d'assouvir sa passion, elle pouvait être considérée comme un obstacle des plus sérieux, lorsqu'il s'agissait de la honte qui découlerait de l'adultère.

---

1. *Adulterii primo, deinde homicidii contagia* : cf. PAULIN DE MILAN, *Vita Ambrosii*, § 24 : « Imperator contra asserebat Dauid adulterium simul et homicidium perpetrasse. » Voir Introduction, n. 91. — Sur les formes Bersabée et Bethsabée, cf. F. WUTZ, *Onomastica sacra*, Leipzig 1914, p. 629.

3. Itaque ut a planioribus exoriamur, quem deus iustificauit tu diiudicas ᵃ. *Pro minimo mihi est*, inquit Paulus,
*ut a uobis diiudicer aut ab humano die, sed neque me ipsum
diiudico* ᵇ. Et adhuc erat in corpore situs, adhuc temptationi
5   obnoxius, sed ideo se non diiudicabat, quia *spiritalis a
nemine diiudicatur* ᶜ nisi a solo deo. Denique subdidit :
*Qui diiudicat me dominus est. Itaque nolite ante tempus quid
iudicare* ᵈ. Sed Dauid iam tempus inpleuit et gratiam meruit
et iustificatus a Christo est, quandoquidem Dauid se dici
10   filium ipse dominus gratulabatur et qui eum ita confitebantur
inluminabantur ᵉ. Cur hominem dei a praemio in iudicium
uocas ? Iudicauit iam de eo dominus, de quo dixit ad
Solomonem : *Si ambulaueris in conspectu meo, sicut ambu-
lauit Dauid pater tuus in sanctitate cordis et iustitia ad
15   hoc, ut faceret secundum omnia quae mandaui ei* ᶠ. Hic ergo
iudicio dignus an praemio est, qui fecit secundum omnia
mandata caelestia ambulans in sanctitate et iustitia cordis ?
Vbi aliorum peccata et uitia delitescunt, ibi Dauid uirtutis
et gloriae suae diuinum accepit testimonium.

3, 1 exoriamur *KPP'* : exordiamur *s*   ‖   2 tu diiudicas *KP'* : ne tu
diiudices *Ps*.

3 a. Cf. Rom. 8, 33   ‖   b. I Cor. 4, 3   ‖   c. I Cor. 2, 15
  ‖   d. I. Cor. 4, 4-5   ‖   e. Cf. Matth. 9, 27-29 ; 20, 30-34
  ‖   f. III Rois 9, 4.

2. Première utilisation du commentaire de Didyme sur les Psaumes :
cf. Introduction, p. 10 et Appendice I, p. 49. Nous donnons la traduction
française de Didyme dans les présentes notes, en indiquant par l'italique
les parallèles textuels avec Ambroise. On trouvera dans l'Appendice I le texte
grec de Didyme précédé chaque fois du nº des présentes notes où se trouve

I. PLAIDOYER POUR DAVID

1. Le péché de David justifié par sa signification morale

A. Exorde : le jugement céleste a déjà justifié David

3. Donc, pour prendre notre exorde dans ce qui est plus facile à comprendre, celui que Dieu a justifié[2], tu oses, toi, le juger[a] ! « Il m'importe fort peu, dit Paul, d'être jugé par vous ou par un tribunal humain ; mais je ne me juge pas pour autant moi-même[b]. » Et pourtant, il était encore dans son corps, il était encore exposé à la tentation ; mais s'il ne se jugeait pas lui-même, c'est que « l'homme spirituel n'est jugé par personne[c] » sinon par Dieu seul. Car l'Apôtre a ajouté : « Celui qui me juge, c'est le Seigneur. En conséquence, ne jugez quoi que ce soit avant le temps[d]. » Or ce temps, David l'a déjà accompli, il a mérité le pardon, il a été justifié par le Christ, puisque le Seigneur lui-même se félicitait d'être appelé fils de David et que ceux qui le proclamaient tel recouvraient la vue[e]. Pourquoi veux-tu mander au tribunal l'homme qui déjà a été couronné par Dieu ? Le Seigneur a déjà jugé celui dont il a dit à Salomon : « Si tu marches sous mon regard comme a marché David ton père, dans la sainteté du cœur et la justice, dans l'intention de faire toutes les choses que je t'ordonnais[f]. » Voyons, que mérite-t-il, le tribunal ou la couronne, cet homme qui a obéi à tous les commandements du ciel, marchant dans la sainteté et la justice du cœur ? Au moment où les péchés et les vices des autres cherchent à se cacher, à ce moment-là David a mérité de recevoir le témoignage de Dieu lui-même, qui attestait sa vertu et sa gloire.

---

la traduction correspondante. DIDYME, *Commentaire sur les Psaumes*, § 532 Mühlenberg : « Prends garde de ne pas prendre occasion de cela (c'est-à-dire du titre du psaume qui fait allusion à l'histoire de Bersabée) pour condamner David, car *celui que Dieu a justifié*, personne ne peut *le juger*. » — Sur l'utilisation des premiers chapitres de la *Première Épître aux Corinthiens* par Ambroise, cf. G. MADEC, *Saint Ambroise et la philosophie*, Paris 1974, p. 208-211. — Sur le thème origénien : l'homme spirituel ne peut être jugé que par Dieu seul, cf., plus bas, la n. 73.

20   Et de eius peccato disputamus otiosi, pro cuius merito et gratia aliorum peccata releuata sunt. Nam cum offendisset Solomon, quod non custodisset mandata domini, et regnum eius disposuisset deus scindere in plurimas partes, ait ad eum : *Verum tamen in diebus tuis non faciam haec propter* 25 *Dauiḍ patrem tuum. De manu filii tui accipiam illud. Verum tamen non totum regnum accipiam, sceptrum unum dabo propter Dauid seruum meum*[g]. Iustificante igitur domino quis est qui tantum diiudicat uirum ? *Quod deus*, inquit, *mundauit tu commune ne dixeris* [h].

4. Saluo tamen iudicio caelesti, quo etiam ipse honorifices tantum prophetam, in eius actus moresque ingredere. Non miraris hominem et angelis [a] adaequandum iudicas plurimum uitae suae, immo a pueritia in diuitiis honoribus 5 imperiis demorantem, in multis temptationibus positum semel tantum locum errori dedisse et ei errori, quo etiam angeli caelorum, ut scriptura memorat [b], de sua gratia et uirtute deiecti sunt ? Sane et alter legitur error ipsius, quod numerari fecerit populum [c].

II, **5.** Vnusquisque nostrum per singulas horas quam multa delinquit, et tamen unusquisque de plebe peccatum

---

3, 21 releuata *P* : reuelata *P's om. K.*

3 g. III Rois 11, 12-13 ‖ h. Act. 10, 15 ‖ **4** a. Cf. II Sam. 14, 17 ‖ b. Cf. Gen. 6, 2 ‖ c. Cf. II Sam. 24, 10.

3. *Sceptrum* = σκῆπτρον employé par le texte grec des **LXX** pour désigner les tribus d'Israël.

Il est vain aussi de discuter du péché d'un homme, lorsque c'est en considération du mérite et de la grâce de cet homme-là que les péchés d'autres hommes ont été pardonnés. Car lorsque Salomon fut dans le péché parce qu'il n'avait pas observé les commandements du Seigneur et que Dieu eut décidé de tronçonner son royaume en plusieurs parties, il lui dit : « Pourtant je ne ferai pas ce partage durant ta vie à cause de David, ton père. Je prendrai ton royaume des mains de ton fils. D'ailleurs, je ne prendrai pas tout le royaume : je lui donnerai une tribu[3] ; encore sera-ce en considération de David mon serviteur[g]. » Si donc le Seigneur lui-même justifie David, qui donc jugera un si grand homme ? « Ce que Dieu a rendu pur, dit l'Écriture, ne va pas, toi, le déclarer souillé[h]. »

B. David, modèle de repentir

David n'a péché qu'une fois   4. Tout en respectant ce jugement du ciel, pénètre toi-même dans ses actions et dans son caractère, afin de rendre honneur toi aussi à un si grand prophète. N'admires-tu pas cet homme[4] et ne juges-tu pas qu'il doit être égalé aux anges[a] ? La plus grande partie de sa vie — que dis-je, dès son enfance — il a vécu au sein des richesses, des honneurs, du pouvoir ; il a été exposé à mille tentations ; et pourtant il n'a donné prise qu'une fois à l'égarement ; encore est-ce à l'égarement où les anges du ciel, eux-mêmes, sont tombés, comme le raconte l'Écriture[b], du haut de leur grâce et de leur vertu. A vrai dire, l'Écriture parle aussi d'un autre égarement de David : quand il ordonna le dénombrement de son peuple[c].

Il a avoué sa faute   II, 5. Que de fautes chacun de nous commet-il à chaque heure ! Et pourtant nul d'entre nous, hommes du commun, n'estime qu'il doive

---

4. DIDYME, *Commentaire sur les Psaumes*, § 532 Mühlenberg : « Tu seras prudent dans tes jugements sur cet homme si tu te représentes bien ceci : il a vécu longtemps et *la plupart de ce temps il l'a passé* dans l'exercice *du pouvoir* et de la royauté ; et pourtant on ne l'assigne en jugement que *pour cette seule faute* et *aussi pour avoir fait dénombrer le peuple* contre la volonté de Dieu. »

suum confitendum non putat : ille rex tantus ac tam potens
ne exiguo quidem momento manere penes se delicti passus
5 est conscientiam, sed praematura confessione atque inmenso
dolore reddidit peccatum suum domino. Quem mihi nunc
facile repperias honoratum ac diuitem, qui si arguatur alicuius culpae reus, non moleste ferat ? At ille regio clarus
imperio, tot diuinis probatus oraculis, cum a priuato homine
10 corriperetur quod grauiter deliquisset, non indignatus
infremuit, sed confessus ingemuit culpae dolorem [a]. Denique
dominum dolor intimi mouit affectus, ut Nathan diceret :
Quoniam paenituit te, et dominus transtulit peccatum tuum [b].
Maturitas itaque ueniae profundam regis fuisse paenitentiam
15 declarauit, quae tanti erroris offensam traduxerit.

6. Alii homines cum a sacerdotibus corripiuntur, peccatum
suum ingrauant, dum negare cupiunt aut defendere, ibique
eorum maior est lapsus, ubi speratur correctio. Sancti
autem domini [a], qui consummare certamen pium gestiunt
5 et currere cursum [b] salutis, sicubi forte ut homines cor-
ruerunt naturae magis fragilitate quam peccandi libidine,

5, 3 tantus *PP's* : tantum *K* ‖ tam potens *K* (τηλικοῦτος *Didymus*) : potens *PP's* ‖ 11 dolorem *KP* : dolore *P's*.

5 a. Cf. II Sam. 12, 1-13 ‖ b. II Sam. 12, 13 ‖ **6** a.
Cf. Ps. 29, 5 ‖ b. Cf. II Tim. 4, 7.

5. DIDYME, *Commentaire sur les Psaumes*, § 532 Mühlenberg : « Et il n'a
pas persévéré dans sa faute. Car lui *un roi si grand et si puissant*, à qui *un
simple particulier reprochait d'avoir commis une faute, ne s'indigna pas, mais
il s'accusa* lui-même, *en sorte que* le prophète qui l'avait réprimand4 *put dire :
Le Seigneur lui aussi a éloigné ton péché.* Car le fait de dire : Le Seigneur lui
aussi, *a montré* que David lui-même avait *éloigné* son péché *par un intense
repentir.* »
6. Ambroise ne semble pas avoir bien compris l'argumentation de Didyme
(texte cité dans la note précédente). Didyme veut dire : si le Seigneur *aussi*

confesser son péché. Or lui, ce roi si grand et si puissant, n'a pu
supporter que demeure en lui, même un court moment, le
remords de son péché, mais dans une confession tôt venue et
une douleur infinie, il a reconnu son péché devant le Seigneur.
Me trouverait-on facilement aujourd'hui un homme illustre
par ses charges et ses richesses qui supporterait sans colère
qu'on l'accusât de la moindre faute ? Mais lui, David, qui était
dans l'éclat de la puissance royale[5], que tant d'oracles divins
avaient confirmé, lorsqu'un simple particulier lui reprocha
d'avoir commis une faute grave, ne frémit pas d'indignation :
au contraire il avoua et déplora en gémissant le tourment de
son péché [a]. En conséquence, le Seigneur fut à ce point touché
de cette douleur venue du fond de l'âme que Nathan put dire :
Puisque tu t'es repenti, « le Seigneur aussi[6] a éloigné ton péché [b] ».
La rapidité du pardon fit donc voir clairement que le repentir
du roi avait été profond : il avait éloigné l'offense que constituait
une faute si lourde.

Il s'est relevé   **6**. Les autres hommes[7], quand les prêtres les
tout de suite   blâment, ajoutent à leur péché en cherchant
après sa chute   à le nier ou à l'excuser ; et leur faute est d'autant
                plus grave que l'on s'attend plutôt à ce qu'ils se
réforment. Mais les saints du Seigneur [a] qui brûlent du désir
de mener jusqu'au bout le saint combat et de courir la course [b]
du salut, si d'aventure, en hommes qu'ils sont, ils viennent à
tomber par suite de la faiblesse de la nature plus que par l'attrait

a éloigné le péché de David, c'est qu'un autre avait déjà éloigné ce péché
et cet autre ne peut être que David, grâce à son intense repentir. Ambroise
comprend que Nathan en disant immédiatement : « Le Seigneur a éloigné
ton péché » témoigne de la rapidité du pardon divin, laquelle révèle elle-
même la profondeur du repentir de David.

7. DIDYME, *Commentaire sur les Psaumes*, § 532 Mühlenberg : « Nous dirons
donc que *les autres hommes*, lorsqu'ils commettent une faute, se laissent abattre.
*Mais les saints, qui courent la course du salut, si d'aventure, en hommes qu'ils
sont, ils viennent à tomber* par inattention, ne se laissent pas abattre, mais
ils continuent la course, considérant *la course comme demeurant ininterrompue*
et sans donner l'apparence d'être tombés. » Chez Didyme les « autres hommes »
se laissent abattre par leurs péchés, chez Ambroise, ils aggravent leurs fautes
en refusant les admonestations des prêtres. Il y a là peut-être une allusion
à la situation de Théodose après le massacre de Thessalonique.

acriores ad currendum resurgunt pudoris stimulo maiora
reparantes certamina, ut non solum nullum adtulisse
aestimentur lapsus inpedimentum, sed etiam uelocitatis
10 incentiua cumulasse uideantur. Ergo si currentium non
soluitur cursus, cum aliqui forte ceciderunt, non luctantium
contentio, sed inoffensa manent certamina, quin etiam
plerique post unum aut alterum lapsum gratia maiore
uicerunt : quanto magis agonem pietatis ingressi non
15 debent unius prolapsionis offensione censeri, cum beatus
sit qui se potuerit reparare post lapsum, quoniam post
mortem quoque resurgere munus beatorum est[c].

7. Alias quoque prodesse peccatum possumus conprehen-
dere et prouidentia domini sanctis obrepsisse delicta.
Propositi enim ad imitandum nobis sunt, et ideo curatum
est, ut et ipsi aliquando laberentur. Nam si inoffensum a
5 uitiis inter tot lubrica huius saeculi curriculum peregissent,
dedissent nobis occasionem infirmioribus aestimandi cuius-

6, 9 aestimentur *K* : aestimetur *PP's* ‖ 10 uideantur *K* : *om.*
PP's ‖ **7**, 5 curriculum *Ks* : curricula *PP'*.

6 c. Cf. Ps. 1, 5.

8. Allusion au *Ps.* 1, 5. Cf. ORIGÈNE, *In Psalm.*, *PG* 12, col. 1097 D :
ʼΕγερθήσονται γὰρ οἱ ἀσεβεῖς οὐκ ἐν τῇ προτέρᾳ κρίσει, ἀλλ'ἐν τῇ δευτέρᾳ.
Les impies ressusciteront non pas lors du premier jugement, mais lors du
second.
9. DIDYME, *Commentaire sur les Psaumes*, § 532 Mühlenberg : « Et c'est
pour de nombreuses autres raisons d'utilité que sont racontées dans les Écritures
les fautes des saints. En voici une : en fait, *ceux qui sont appelés à imiter les
saints*, s'ils étaient en présence d'une vertu transcendante, étant remplis
de crainte devant elle, *pourraient trouver un prétexte* de considérer que les
saints sont d'un rang *divin*, *incapables de commettre le péché: n'étant pas eux-*

du péché, ils se relèvent, plus ardents à reprendre la course : la honte de leur faute est un aiguillon qui les pousse à de plus rudes combats ; en sorte que, non seulement, semble-t-il, leurs chutes n'ont nullement été pour eux un obstacle, mais qu'elles paraissent même avoir multiplié pour eux les stimulants à courir plus vite. Si donc la course ne s'arrête pas parce que, d'aventure, quelques coureurs sont tombés, si l'effort des lutteurs ne se relâche pas, mais que le combat, au contraire, continue sans trêve — que dis-je ? —, si la plupart, après une ou deux chutes, ont, grâce à une meilleure chance, remporté la victoire, à combien plus forte raison, les hommes qui affrontent le combat de la sainteté ne doivent-ils pas être jugés sur une chute isolée, puisque est bienheureux celui qui aura su se reprendre après sa chute, car ressusciter après la mort est aussi le privilège des bienheureux c[8].

C. Signification des fautes des saints

Elles nous révèlent que leur perfection est imitable　　7. Selon un autre point de vue[9], nous pouvons comprendre aussi que le péché peut être utile et que c'est par la providence du Seigneur que des fautes ont pu se glisser chez les saints. Ils ont été en effet proposés à notre imitation et c'est pourquoi l'on a veillé à ce que même eux tombent parfois. Car s'ils avaient achevé leur course à travers tous les terrains glissants de ce monde, sans qu'elle rencontre le péché[10], ils nous auraient donné, à nous qui sommes plus faibles, un prétexte pour croire qu'ils sont dotés d'une nature

mêmes d'un tel rang, il leur serait impossible d'imiter de si grands saints. C'est pourquoi _la Providence_ a permis que survienne pour eux une occasion de péché, _afin qu'ils ne nous donnent pas seulement des leçons de vertu mais aussi de repentir_ : ces maîtres réussissent à nous donner un enseignement dès qu'ils agissent. »

10. Si l'on n'acceptait pas la leçon de _K_, et si l'on préférait lire _curricula_, il faudrait considérer _inoffensum_ comme un adjectif neutre jouant le rôle d'un accusatif de qualification (cf. A. ERNOUT-Fr. THOMAS, _Syntaxe latine_, Paris, § 35). On trouverait un parallèle à _lubrica huius saeculi curricula_ en _De interpellatione_, IV, 3, 12 : _lubricis saeculi huius anfractibus_ et _Exp. Ps. CXVIII_, 10, 35 : _curricula uitae huius._

dam superioris eos naturae ac diuinae fuisse, ut delictum
recipere et culpae consortium habere non possent, quae
opinio utique ut exortes nos illius substantiae ab inpossibili
10 imitatione reuocaret. Praeteriit igitur illos paulisper dei
gratia, ut nobis ad imitationem uita eorum fieret disciplina
et sicut innocentiae ita etiam paenitentiae magisterium
de eorum actibus sumeremus. Ergo dum lapsus eorum
lego, consortes etiam illos infirmitatis agnosco : dum credo
15 consortes, imitandos eos esse praesumo.

8. Admonet etiam apostolus Paulus prospexisse dominum
deum nostrum, ne uel reuelationum sublimitate uel secundo
operum continuante processu humanus etiam in sanctis
extolleretur [a] adfectus nec sibi deputarent uirtutique
adtribuerent suae quod diuina sibi operatione conlatum
5 foret. Ergo ne in tantum iudicium ruerent atque in perfidiae
foueam deciderent, passus est illis dominus subintrare
culpam, ut et ipsi aduerterent diuinis se auxiliis indigere
ducemque salutis suae quaerendum esse cognoscerent.
Denique Paulus infirmitatem sibi profuisse testatur dicente
10 domino roganti sibi, ut a se stimulus carnis suae discederet [b] :
*Sufficit tibi gratia mea; nam uirtus in infirmitate consumma-
tur* [c]. Meritoque gloriatur in infirmitatibus [d] ; sciebat enim
uirtutis abundantia [e] plurimos etiam sanctos sine remedio

7, 15 eos *K* : *om. PP's.*

8 a. Cf. II Cor. 12, 7   ‖   b. Cf. II Cor. 12, 7-9   ‖   c. II Cor.
12, 9   ‖   d. Cf. II Cor. 12, 9   ‖   e. Cf. Ps. 29, 7.

11. Souvenir, chez Didyme, de la polémique traditionnelle contre les
gnostiques qui prétendaient que le « pneumatique » était d'une nature différente du « psychique » (cf. CLÉMENT D'ALEXANDRIE, *Extraits de Théodote*,
56). Cette critique est liée à l'affirmation de la possibilité du progrès spirituel.
12. Ici Ambroise traduit un membre de phrase qui se trouve dans le texte
de Didyme utilisé au paragraphe suivant : cf. note suivante.

particulière, supérieure et divine[11], les rendant incapables
d'admettre en eux le péché et d'avoir part à la faute. Et cette
pensée, à coup sûr, nous détournerait d'une imitation impossible,
puisque nous croirions être exclus d'une telle substance. La
grâce de Dieu les a donc abandonnés un court moment[12], afin
que leur vie soit pour nous une exhortation à les imiter et que
nous tirions de leurs actes une leçon d'innocence aussi bien
que de repentir. Ainsi, quand je lis le récit de leurs chutes,
j'apprends qu'eux aussi ont eu part à mon infirmité et, en les
croyant tels, j'en conclus qu'il faut les imiter.

Elles leur révèlent la nécessité de la grâce divine

8. L'apôtre Paul lui aussi nous fait remarquer que le Seigneur notre Dieu a pris soin que ni la sublimité des révélations, ni le succès heureux et constant de leurs activités n'exaltât chez les saints eux-mêmes des sentiments d'orgueil [a] et ne les portât à s'imputer à eux-mêmes, à attribuer à leur propre force[13] les faveurs qui leur seraient prodiguées par l'opération divine. Aussi, pour éviter qu'ils ne se précipitent dans une telle opinion, et par suite, qu'ils ne tombent dans le piège de l'infidélité, le Seigneur a-t-il permis que la faute se glissât en eux : ainsi, ils prendraient conscience qu'ils avaient eux-mêmes besoin des secours de Dieu et comprendraient qu'ils devaient se mettre en quête d'un guide pour leur salut. C'est pourquoi Paul atteste que sa faiblesse lui a été profitable, puisque le Seigneur lui dit, alors qu'il demandait que l'aiguillon de sa chair s'éloignât de lui [b] : « Ma grâce te suffit ; car dans la faiblesse triomphe la puissance [c]. » Et c'est avec raison qu'il se glorifie dans ses faiblesses [d]. Il savait bien en effet que l'excès de confiance en leur propre vertu [e] avait fait s'écrouler sans remède un très grand nombre d'hommes

---

13. DIDYME, *Commentaire sur les Psaumes*, § 532 Mühlenberg : « Peut-être aussi que de si grands saints, parvenus au sommet de la vertu se seraient imaginés qu'ils étaient parvenus à ce point suprême *par leur propre force et non par une coopération divine. Aussi pour éviter qu'ils ne se précipitent dans une telle opinion, la grâce de Dieu les a donc abandonnés un court moment,* afin qu'ayant glissé, ils recherchent *l'aide* dont leur faiblesse a besoin, après avoir été amenés ainsi à une prise de *conscience.* »

conruisse. Quanto igitur commodius uni aut duobus repre-
15 hensioni locum dedisse quam traxisse in perpetuum diuinitatis offensam.

III, **9.** Quid etiam illa adiciam quae ex ipso usu mundi
conicere possumus, quia plerosque cum in aliquo probaueri-
mus officio, eosdem quasi industrios atque inpigros in alio
munere uolumus experiri ? Quam multi athletae cum isto
5 certandi genere praeualuerint, ad aliud genus uocantur
certaminis. Quid, si et te dominus deus tuus, cum ali-
quod specimen uirtutis dederis tuae, in alio uirtutum genere
uult probare [a] ? Iob sanctum currentem inoffense temptari
tamen in filiorum interitu et corporis totius ulceribus
10 passus est [b], ut in hoc quoque eius uirtutem probaret, si
nec iniuriis et acerbitatibus coactus deuotionem sui minueret
affectus. Non liquet quod etiam sanctum Dauid fide nobilem, praestantissimum mansuetudine, manu fortem probare
uoluerit, quemadmodum uitium tegeret [c], lapsum emen-
15 daret, ut nos doceret quemadmodum possimus admissum
operire peccatum ?

8, 14 **uni** *KP's* (*datiuus*) : uno *P*   ‖   duobus reprehensioni *KP* :
duabus reprehensionibus *P's*   ‖   9, 9 in *K* : *om. PP's*   ‖   15
possimus *KPP'* : possemus *s*.

9 a. Cf. Sir. 2, 5   ‖   b. Cf. Job 1, 19 ; 2, 7   ‖   c. Cf. Ps. 31, 1.

qui étaient pourtant des saints[14]. Combien il est donc plus profitable d'avoir donné lieu au blâme pour une ou deux choses, que d'avoir attiré sur soi pour l'éternité la colère de la Divinité !

Dieu veut exercer les saints au repentir III, **9**. Ajouterais-je une remarque que la fréquentation même du monde autorise ? Parce que nous avons applaudi tels et tels hommes dans une fonction quelconque, nous voulons encore qu'ils fassent preuve dans une autre fonction d'habileté et d'une activité infatigable. Combien d'athlètes, après avoir excellé dans tel genre de lutte, sont appelés à affronter un autre genre de combat ! Eh bien, et si le Seigneur ton Dieu, parce que tu lui as offert un exemple déterminé de vertu, veut t'éprouver dans un autre genre de vertu [a] ! Job, ce saint homme, courait sans tomber ; et pourtant Dieu permit qu'il fût éprouvé dans la mort de ses fils et par des ulcères sur tout son corps [b] : il fallait qu'il exerçât aussi sa vertu dans cette circonstance et qu'il fît voir si, sous le coup des peines et des malheurs, l'ardeur de ses sentiments s'affaiblirait. N'est-il pas clair que même un saint comme David, renommé pour sa foi, remarquable par sa douceur, David à la main forte[15], Dieu a tenu à le mettre à l'épreuve, pour voir comment il ferait pour couvrir [c] son crime, pour réparer sa chute, et cela, afin de nous enseigner comment nous pouvons couvrir le péché quand nous l'avons commis ?

---

14. Développement analogue dans l'*Exp. Eu. sec. Lucam*, III, 37, où l'on retrouve l'allusion au psaume 29, 7 (*abundantia*) : « C'est que nous avons un grand adversaire dont nous ne pouvons triompher qu'avec l'aide de Dieu ; et vous trouverez souvent chez des hommes illustres et bienheureux des fautes graves pour vous faire connaître que, comme des humains, ils furent accessibles à la tentation, de crainte que leurs vertus éminentes ne les fissent passer pour plus que des hommes. Si en effet David, pour avoir dit, exalté par la présomption que lui donnait sa vertu : ' Si j'ai rendu le mal à ceux qui me le faisaient (*Ps.* 7, 5) ' et ailleurs : ' Pour moi, j'ai dit dans mon excès de confiance (*abundantia*) : Je ne serai jamais ébranlé (*Ps.* 29, 7) ' a subi aussitôt la peine de son arrogance... » (traduction G. Tissot, légèrement modifiée, *SC* 45, p. 140). Ambroise emprunte le développement de l'*Exp. Eu. sec. Lucam* à EUSÈBE, *Quaest. evang. ad Steph.*, VIII, 2, *PG* 22, col. 913.

15. Étymologie du nom de David : ἱκανὸς χειρί, cf. ORIGÈNE, *In Psalm.*, XVII, 38-39 (*PG* 12, col. 1237 D).

10. Nisi forte uilis causa alicui uideretur, ut propter
nostram correctionem ᵃ tantus erraret propheta, cum
propter omnium redemptionem infirmitates nostras Christus
susceperit ᵇ, qui peccatum pro nobis factus est, cum pecca-
5 tum non cognouerit ᶜ. Et indignum aestimatur nec ueri
simile creditur quod Dauid propter posteritatis profectum
unius lapsus opprobrium inciderit, cum ipse dominus
pro nobis sit factus obprobrium, sicut ipse ait : *Ego autem*
sum uermis et non homo, obprobrium hominum et abiectio
10 *plebis* ᵈ, et alibi : *Et opprobria exprobrantium ceciderunt*
super me ᵉ ? Ergo futurae dispensationis mysterium in
suis ante praemisit, et seruuli quidem condicionis suae
peccata portarunt, ideo non potuerunt etiam ipsi exortes
esse peccati : dominus autem onus suscepit alienum, ideo
15 solus fuit sine consortio delictorum ᶠ.

11. Ad summam apostolo quoque docente cognouimus in
figura ᵃ gesta esse conpluria, quae temporibus gesta superioribus sunt. Nam cum dixisset in deserto patres a ser-
pentibus uulneratos non aliter potuisse sanari, nisi Moyses
5 serpentem suspendisset aereum, quo uiso letales illi morsus
atque infusiones ueneni noxiae curabantur ᵇ, subiecit :

10, 1 uideretur *K* : uidetur *PP's*   ‖   2 erraret *KPᵖᶜ* (e *in* i *scr. P¹*)
P' : errarit *s*.

10 a. Cf. I Cor. 10, 11   ‖   b. Cf. Is. 53, 4   ‖   c. Cf. II Cor.
5, 21   ‖   d. Ps. 21, 7   ‖   e. Ps. 69, 10   ‖   f. Cf. II
Cor. 5, 21   ‖   **11** a. Cf. I Cor. 10, 11   ‖   b. Cf. Nombr. 21, 8-9;
I Cor. 10, 9.

2. Le péché de David justifié
en tant que figure destinée à notre amendement

A. Le Christ s'est lui-même fait péché pour notre amendement

10. Mais peut-être quelqu'un trouverait-il misérable l'excuse que nous proposons, lorsque nous disons que c'est pour notre amendement [a] qu'un si grand prophète a pu commettre une faute. Pourtant, n'est-ce pas pour nous racheter tous que le Christ a pris sur lui nos maladies [b], lui qui, pour nous, s'est fait péché, lui qui ne connaissait pas le péché [c] ? Peut-on alors juger inconvenant, croire invraisemblable que, pour le progrès moral des hommes à venir, David soit tombé dans l'opprobre d'une faute unique, alors que le Seigneur lui-même s'est fait opprobre pour nous, comme il le dit lui-même : « Pour moi, je suis un ver de terre, non un homme, l'opprobre des hommes et le rebut du peuple [d] », et ailleurs : « Et les opprobres de ceux qui me blâment sont tombés sur moi [e] » ? Il a donc par avance annoncé, dans la vie de ceux qui lui appartiennent, le mystère de l'économie future. Et à vrai dire, ils étaient propres à la condition humaine les péchés qu'ont portés les humbles serviteurs, car ces serviteurs n'étaient pas capables d'être eux-mêmes étrangers au péché. Mais le Seigneur, c'est le fardeau d'autrui qu'il a pris sur lui ; c'est pourquoi il est le seul à ne pas avoir de part aux péchés [f].

B. Légitimité de l'interprétation figurative de la faute de David : les figures de l'Ancien Testament

La figure du serpent d'airain   **11.** De plus — c'est aussi l'enseignement de l'Apôtre —, nous savons que bon nombre d'événements qui se sont produits dans le passé sont arrivés en figure [a]. Car l'Apôtre ayant déclaré que nos pères, dans le désert, après avoir été mordus par les serpents, n'avaient pu être guéris autrement que par le geste de Moïse élevant au-dessus d'eux un serpent d'airain dont la vue les guérissait des morsures mortelles [b] et du venin qui s'était glissé en eux d'une manière funeste, l'Apôtre, dis-je, a ajouté :

Haec autem in figura facta sunt illis ad nostram conrectionem [c].
In figura aereus serpens tamquam confixus cruci, quia
uerus crucifigendus generi adnuntiabatur humano, qui
10 serpentis diaboli uenena uacuaret, in figura maledictus [d],
in ueritate autem qui totius mundi maledicta deleret.

Alibi quoque, id est ad Galatas, ait quia *Duos filios habuit*
Abraham, unum de ancilla et unum de libera [e] et subdidit :
Sed is quidem qui de ancilla secundum carnem natus est,
15 *qui autem de libera per repromissionem. Quae sunt per*
allegorian dicta [f]. Quid sit per allegorian sequentibus
exposuit euidenter dicens duas illas generationes, unam
de ancilla, alteram de libera, *duo* esse *testamenta, unum*
quidem a monte Sina in seruitutem generans, in quo monte
20 legem Moyses accepit a domino, alterum autem ab Hierusalem, quae est libera, quae in Isaac filios, hoc est in liber-
tate gratiae, non litterae seruitute generauit [g] ; seruis enim
poena decernitur, liberis confertur gratia. Nonne in typo
geminae plebis Iacob duas accepit uxores [h], ex quibus
25 diuersam subolem procreauit ? Cur patriarcha Iudas
propriae nurus post filii sui mortem legitur expetisse concu-
bitum, quo geminorum partus est editus [i], nisi ut figura
praecederet utrorumque Iesu domini testamentorum, quorum alterum in typo futurae mortis eius est conditum [j],
30 alterum in euangelii ueritate [k], duos populos esse generandos,
quorum posterior in crucis signo saepem omnem ac muni-
tionem populi superioris incideret — hic est populus manu

11, 28 utrorumque Iesu domini testamentorum *K* : utroque Iesu
domini testamento *Ps*   utroque Iesus dominus testamento *B*.

11 c. I Cor. 10, 11   ‖   d. Cf. Deut. 21, 23 ; Gal. 3, 13   ‖   e.
Gal. 4, 22   ‖   f. Gal. 4, 23-24   ‖   g. Cf. Gal. 4, 24-31   ‖
h. Cf. Gen. 29, 25-28   ‖   i. Cf. Gen. 38, 6-27   ‖   j. Cf.
Ex. 24, 8   ‖   k. Cf. Matth. 26, 28 ; Lc 22, 20.

16. Sur ce thème, cf. H. de LUBAC, *Catholicisme*, p. 136-137.
17. Il n'y a pas encore ici d'allusion directe à l'histoire de Zara et Pharès,
mais une description des deux Alliances : la première a été fondée dans la

« Tout cela leur arriva en figure, en vue de notre amendement [c]. »
En figure, le serpent d'airain était, en quelque sorte, crucifié
vraiment pour le genre humain, attaché à la croix parce qu'était
annoncé celui qui devait être celui qui éliminerait les poisons du
serpent qu'était le diable ; dans la figure c'était un maudit [d], mais,
dans la vérité, celui qui effacerait les malédictions du monde entier !

Les figures   Ailleurs encore, c'est-à-dire dans l'épître
des deux Alliances   aux Galates, l'Apôtre dit : « Abraham eut
     deux fils, l'un de la servante et l'autre
de la femme libre [e]. » Et il ajoute : « Mais le fils de la servante
naquit selon les lois de la chair, tandis que le fils de la femme
libre naquit en vertu de la promesse ; et ces choses ont été
dites par allégorie [f]. » Le sens de cette allégorie, l'Apôtre l'explique
clairement dans la suite, quand il dit que ces deux enfants,
celui de l'esclave et celui de la femme libre, sont « les deux
Alliances[16] : l'une, engendrant pour la servitude, vient du Sinaï »,
montagne sur laquelle Moïse reçut du Seigneur la Loi, et l'autre
vient de Jérusalem, cité libre, qui a engendré des fils en Isaac,
c'est-à-dire dans la liberté de la grâce et non dans l'esclavage
de la lettre [g]. Contre les esclaves en effet est prononcé un châtiment, mais aux hommes libres est conférée la grâce. N'est-ce
pas aussi pour figurer ce double peuple que Jacob prit deux
épouses [h], par lesquelles il donna naissance à deux descendances
opposées ? Pourquoi lit-on que le patriarche Juda désira s'unir
à sa propre bru, après la mort de son fils et pourquoi des jumeaux
sont-ils issus de cette union [i] ? N'est-ce pas pour qu'existe à
l'avance la figure des deux Alliances du Seigneur Jésus — dont
l'une fut fondée dans la représentation de sa mort future [j]
et l'autre fut établie dans la réalité[17] de l'Évangile [k] —, figure
représentant à l'avance que deux peuples devaient être engendrés, dont le second[18], par le signe de la croix, ferait brèche
dans la clôture et les remparts du premier ? C'est ce second
peuple qui a montré le premier sa main, mais qui est apparu

Pâque, « type » de la passion du Christ, l'autre a été fondée dans la révélation
effective et la réalisation de la Bonne Nouvelle.

18. Cf. Appendice II, *Zara et Pharès*, ci-dessus, p. 59. Comparer avec
Exp. Eu. sec. Lucam, III, 20 (inspiré par EUSÈBE, *Quaest. evangel. ad Steph.*,
VII, 1-7, *PG* 22, col. 905 s.).

prior, ortu posterior [1] — uel quia ipse dominus Iesus natus
ex tribu Iuda [m] opera sua ante praemisit quam nobis ex
35 uirgine nasceretur ?

12. Quid de Ioseph loquar, qui a fratribus adpetitus, exu-
tus patrio uestimento, in lacum missus, in seruitutem uenditus [a] euidens dominicae incarnationis expressit indicium, eo
quod ille dilectus patri [b] cum esset in dei forma, non rapinam
5 arbitraretur esse se aequalem deo, sed ipsum se exinaniret,
ut formam serui accipiens ueniret et se usque ad mortem
crucis humiliaret [c], cuius pretio et emptus et uenditus a
suis fratribus [d] genus redemit humanum ?

In cuius typo Dauid minor electus ex fratribus, unctus in
10 regnum [e] solus belli grauis periculo singulari certamine
uniuersum populum liberauit [f], triumphauit in decem
milibus, ita ut puellae cum tympanis psallerent : *Saul
triumphauit in milibus, Dauid in decem milibus* [g]. Quae
figura in illis iuuenculis nisi animarum, quae triumphalem
15 psalmum concinunt Christo ? Genuit ex se filios [h], unum
incestum et alium parricidam [i], eo quod incestus et parricidalis populus adfixam patibulo crucis carnem proprii
uiolaturus esset auctoris. Denique in tertio psalmo Abessalon
titulus praemittitur [j] et passio domini prophetatur.

12, 2 paterno *K* ‖ 5 ipsum *KP* : ipse *Bs* ‖ 12 psallerent
PBs : canerent *K fortasse recte* ‖ 18 Abessalon *K* : Habes-
salom *PB* Abessalom *s* (*deinceps non notatur*).

11 l. Cf. Gen. 38, 28-30 ‖ m. Cf. Matth. 1, 3.6.20 ; Lc 1, 27.32 ; 3,
31-33 ; Hébr. 7, 14 ; Apoc. 5, 5 ‖ **12** a. Cf. Gen. 37, 23-28 ‖
b. Cf. Matth. 3, 17 ; 17, 5 ‖ c. Cf. Phil. 2, 6-8 ‖ d. Cf.
Matth. 26, 14.47-50 ‖ e. Cf. I Sam. 16, 11-13 ‖ f.
Cf. I Sam. 17, 32-54 ‖ g. I Sam. 18, 7 ‖ h. Cf. II Sam.
3, 2-3 ‖ i. Cf. II Sam. 13, 1-14 ; 17,1 - 18,15 ‖ j.
Cf. Ps. 3, 1.

19. Allusion à la généalogie du Christ (cf. *Exp. Eu. sec. Lucam*, III, 3-4)
et notamment à la mention de Pharès et Zara dans *Matth.* 1, 3.
20. Cf. *De Ioseph*, 14 ; *De Spiritu Sancto*, III, 17, 124-126. En *Exp. Ps.
CXVIII*, 18, 23, Joseph est implicitement figure du Christ en tant que *iuuenis*.

au jour en second [1] ? Ou alors, serait-ce parce que le Seigneur
Jésus lui-même, né de la tribu[19] de Juda [m], a voulu annoncer
à l'avance ses œuvres, avant de naître pour nous de la Vierge ?

Joseph, **12.** Que dire de Joseph qui, assailli
figure de l'Incarnation par ses frères, dépouillé de la robe
que lui avait donnée son père, jeté
dans une citerne, vendu comme esclave [a], a représenté clairement la figure de l'incarnation du Seigneur ? Car le Fils bien-
aimé du Père [b], bien qu'il fût en la forme de Dieu, n'a pas
considéré comme un bien à garder jalousement son égalité
avec Dieu, mais s'est anéanti lui-même, au point de venir sous
l'aspect de l'esclave et de s'humilier jusqu'à la mort de la croix [c],
au prix de laquelle, acheté et vendu par ses frères [d], il a racheté
le genre humain[20].

David, C'est aussi en figure du Seigneur, que
figure du Christ David a été choisi parmi ses frères, lui le plus
jeune, qu'il a reçu l'onction royale [e], qu'il a,
à lui seul, par un combat singulier, délivré tout le peuple des
dangers d'une terrible guerre [f] et triomphé de dix mille guerriers,
en sorte que les jeunes filles chantaient en s'accompagnant
sur le tambourin : « Saül a triomphé de mille guerriers, mais
David de dix mille [g]. » Que préfigurent ces jouvencelles, sinon
les âmes qui chantent ensemble un psaume triomphal au
Christ[21] ? David engendra des fils [h], l'un incestueux, l'autre
parricide [i] ; c'est qu'un peuple incestueux et parricide devait
faire violence à la chair de son propre créateur, clouée au gibet
de la croix. Car dans le psaume 3, Abessalon est nommé dès
le titre même [j] et la passion du Seigneur y est prophétisée[22].

21. Cf. *Exp. Ps. CXVIII*, 18, 24-25 (suite du texte cité à la note précédente),
notamment concernant le chant des jeunes filles qui préfigure le chant des
baptisés ; voir aussi *De fide*, V, Prol. 12.

22. Tout ce chapitre 12 résume d'une manière presque squelettique une
ou plusieurs sources qui décrivaient les figures du Christ dans l'Ancien Testament. Les deux dernières phrases, sur les fils de David, n'ayant plus de rapport
avec le contexte dans lequel elles ont été lues par Ambroise, deviennent
à peu près incompréhensibles. Ambroise veut dire que les fils de David sont
la figure du peuple juif, David étant lui-même la figure du Verbe comme
créateur. Ce qui montre bien que les fils de David et notamment Abessalon,

13. Quid de Solomone sancto loquar, cuius posteriora cum graui errore non careant [a], uulgus tamen iudaicum ipsum aestimat uenisse pro Christo ? Et quam multos grauis erroris offensa reuocauit. Maior itaque culpa plus
5 profuit, ne supra hominem crederetur qui uitio non caruisset humano. Fuit igitur in eo inuidiosa sapientia et culpa suasoria, quae hominem conprobaret.

14. Quid igitur obstat, quominus etiam Bersabee sancto Dauid in figura sociata fuisse [a] credatur, ut significaretur congregatio nationum, quae non erat Christo legitimo quodam fidei copulata conubio, quod transuersariis quibus-
5 dam foret uestibulis in eius gratiam praeter legis ingressura praescriptum, in qua nuda mentis sinceritas et aperta simplicitas lauacri iustificante mysterio ueri Dauid et regis aeterni mentem transduceret, lacesseret caritatem [b] ? Merito uenit occultus et qui falleret principem mundi [c]
10 tamquam Vri illum, qui interpretatione dicitur lumen meum, transfigurantem se in angelum lucis [d]. Venit, inquam, in hunc mundum et uenit occultus, tamquam adulter intrauit, ut ius legitimum uindicaret.

14, 4 transuersariis *P'* : transuersiis *K*   aduersariis *P*   auersariis *Schenkl.*

13 a. Cf. III Rois 11, 4-8 || **14** a. Cf. II Sam. 11, 27 ||
b. Cf. II Sam. 11, 2-5 || c. Cf. Jn 12, 31 ; 14, 30 || d.
Cf. II Cor. 11, 14.

---

sont la figure du peuple juif persécuteur du Christ, c'est que le psaume 3, dans lequel est prophétisée la passion du Christ, fait mention d'Abessalon dans son titre.

23. Croyance attestée par le Targum Sheni I, 2, 5, cf. L. GINZBERG, *The Legends of the Jews*, t. VI, Philadelphie 1959, p. 295 (et t. V, p. 265).

Salomon   13. Que dirais-je du saint Salomon ? Ses dernières actions ne sont pas exemptes de graves égarements [a] et pourtant le peuple juif lui-même croit qu'il est venu à la place du Christ[23]. Mais combien d'hommes son péché commis dans de graves égarements n'a-t-il pas ramenés dans le droit chemin ? Et ainsi plus la faute a été grave, plus elle a été profitable : on aurait pu croire que Salomon fût plus qu'un homme, s'il n'avait pas été exempt de faute humaine. En lui donc, la sagesse fut pour nous reproche de ne pas l'imiter, et la faute exhortation à le faire, puisqu'elle a prouvé qu'il était homme.

C. Le mariage de David et de Bersabée, figure de la vocation des Gentils et de la Rédemption

14. Qu'est-ce donc alors qui nous empêche de croire que Bersabée, elle aussi, unie au saint David [a], ne l'ait été en figure, afin de signifier l'Église des nations[24] ? Celle-ci n'avait pas été unie au Christ par cette sorte de mariage légitime qu'eût été la foi, parce qu'elle devait s'introduire comme par une porte détournée[25] pour conquérir sa grâce, en dehors des prescriptions de la Loi ; sa nudité, celle d'un cœur pur, et sa simplicité sans voile, grâce au sacrement du bain qui justifie, devaient séduire le cœur du vrai David, du roi éternel et provoquer son amour [b]. C'est à bon droit qu'il est venu en se cachant pour tromper cet autre Urie — le mot signifie « ma lumière[26] » — qu'est le prince de ce monde [c] qui se transforme en ange de lumière [d]. Il est venu, dis-je, en ce monde et il est venu en se cachant, il est entré comme un homme adultère afin de revendiquer son droit légitime.

24. Église des nations : Église, *ecclesia*, au sens d'assemblée ou de réunion du peuple des nations. — Cf. *Expl. Ps. XII*, 39, 22 : « Ergo quasi gentilis populi congregator... Christus. »

25. La leçon *transuersariis* est probablement la bonne ; cf. *De Abraham*, II, 11, 93 où l'expression *transuersariae cupiditati* signifie probablement : le désir adultère, en opposition avec la sagesse, épouse légitime de l'esprit.

26. Cf. F. WUTZ, *Onomastica sacra*, Leipzig 1914, p. 93-94, 648, 771. Sur le thème de « Satan trompé », cf. *Exp. Eu. sec. Lucam*, II, 3 (source origénienne). Sur l'identification d'Urie et de Satan, cf. aussi *infra*, § 20 : « Princeps istius mundi ».

IV, **15.** Distinximus allegationes ualidas, ut arbitramur,
et in figura fuisse textum huius historiae conprobauimus :
nunc superiora repetamus et tamquam exutum spiritalibus
indumentis introspiciamus errorem. Peccauit Dauid, quod
5 solent reges, sed paenitentiam gessit, fleuit, ingemuit, quod
non solent reges, confessus est culpam [a], obsecrauit indulgentiam, humi stratus deplorauit aerumnam, ieiunauit,
orauit [b], confessionis suae testimonium in perpetua saecula
uulgato dolore transmisit. Quod erubescunt facere priuati
10 rex non erubuit confiteri. Qui tenentur legibus audent
suum negare peccatum, dedignantur rogare indulgentiam,
quam petebat qui nullis legibus tenebatur humanis. Quod
peccauit condicionis est, quod subplicauit correctionis.
Lapsus communis, sed specialis confessio. Culpam itaque
15 incidisse naturae est, diluisse uirtutis. *Quis gloriatur*,
inquit, *castum se habere cor* [c] ? Nec unius diei infans mundus
esse scripturae testimonio declaratur [d].

16. Da mihi aliquem sine prolapsione delicti. Validissimus
omnium Sampson legitur, qui leonem etiam suis manibus
strangulauit [a] ; sed utinam amorem suum suffocare potuisset [b]. Messes incendit allophylorum [c] et ipse mulieris unius
5 arsit igniculo [d].

---

15 a. Cf. II Sam. 12, 13 ‖ b. Cf. II Sam. 12, 16 ‖ c.
Prov. 20, 9 (LXX) ‖ d. cf. Job 14, 4-5 (LXX) ‖ **16** a.
Cf. Jug. 14, 6 ‖ b. Cf. Jug. 14, 17 ‖ c. Cf. Jug. 15, 4
‖ d. Cf. Jug. 16, 4.

27. Même liaison entre *Prov.* 20, 9 et *Job* 14, 4-5, dans le *De bono mortis*,
49 et dans Hilaire, *In Psalmos*, 58, 4. Tout ce développement sur la pénitence
du roi David vise probablement Théodose ; cf. Introduction, p. 41.

3. Le péché de David justifié en considération de la fragilité humaine et de son exceptionnel repentir

A. Le péché de David et son repentir

IV, **15.** Nous avons formulé, en détail, des excuses sérieuses, nous semble-t-il, et nous avons démontré que les faits contenus dans notre récit étaient arrivés en figure. Reprenons maintenant ce que nous disions et examinons cette fois la faute de David en la dépouillant en quelque sorte de ses vêtements spirituels. David a péché, ce dont les rois sont coutumiers. Mais il a fait pénitence, il a pleuré, il a gémi, ce dont les rois ne sont pas coutumiers. Il a avoué sa faute [a], il a imploré miséricorde ; étendu à terre, il a pleuré sa misère, il a jeûné, il a prié [b], et en racontant sa douleur il a transmis à toute la suite des siècles le témoignage de sa confession. Chose que des particuliers rougissent de faire, un roi n'a pas rougi de faire une confession publique ! Des hommes assujettis aux lois ont l'audace de nier leur péché, ne daignent pas demander ce pardon que recherchait celui qui n'était assujetti à aucune loi humaine. Il a péché : c'est la marque de sa condition ; il s'est prosterné : c'est la marque de son amendement. Sa faute, c'est le lot commun ; mais sa confession, c'est son mérite distinctif. Ainsi être tombé dans le péché, c'est le propre de la nature, mais avoir lavé sa faute, c'est le propre de la vertu. « Qui se glorifie, dit (le sage), d'avoir un cœur pur [c] ? » Jusqu'à l'enfant d'un jour[27], qui ne peut être pur, au témoignage de l'Écriture [d] !

B. Le péché est naturel à l'homme

Samson **16.** Donnez-moi un homme qui ne soit tombé dans aucune faute. Fort entre tous les forts, tel était Samson, lit-on dans l'Écriture, lui qui étrangla même un lion de ses mains [a] ; plût au Ciel qu'il eût été capable d'étouffer son amour [b] ! Il incendia les moissons des Philistins [c] [28], mais il brûla lui-même du pauvre feu allumé par une seule femme [d].

---

28. Le mot *allophylus* est un décalque du terme grec qui désigne les Philistins chez les LXX.

Iephthae uictor ab hoste remeauit, sed uexilla referens triumphalia suo uictus est sacramento, ut pietatem occurrentis filiae parricidio remunerandam putaret [e]. Primum omnium quid opus fuit tam facile iurare et incerta uouere
10 pro certis, quorum nesciret euentum ? Deinde aliquis sacramenta tristia domino deo reddit, ut cruentis soluat sua uota funeribus.

17. Nec de sacerdotibus silendum arbitror ne nostra uidear dissimulare delicta. Aaron ipse summus sacerdos, quo duce pariter ac Moyse rubrum pedes mare transiuit populus Hebraeorum [a], rogatus a plebe ut deos sibi faceret quos ado-
5 rarent aurum poposcit, in ignem misit, et caput uituli figuratum est, cui sunt oblata sacrificia [b]. Quo indicio claruit auri cupiditatem materiam esse perfidiae et auaritiae studio sacrilegia solere generari [c]. Iterum tantus sacerdos locum incidit offensionis cum sorore sua Mariam. Nam dum fratri
10 uterque obtrectant quod alienigenam accepisset uxorem, ilico Mariam contagione maculosae carnis effloruit [d].
18. Quo loci euidentis fuit figura mysterii, quod sacerdotalis ille populus patrum fraterno populo posterioribus temporibus derogaret Aethiopissae illius nesciens sacramentum. Nam si cognouisset, non reprehendisset quod cum ueteri mysterio conueniret. Itaque cum Iudaeus eum
5 qui ex gentibus credidit dicit esse communem et uult a lege secernere, lepram habet, quam non poterit euadere, nisi spiritalis ei legis agnitio ad ueniam fuerit suffragata.

16, 11 tristia *Ks* : tristitia *P*   tristitiae *B*   ‖   **17**, 9 Mariam *scripsi* (*cf. lin. 11*) : Maria *KPBs*   ‖   11 Mariam *KPs* (= Μαριάμ) : Maria *B*   ‖   contagione *K* : contagio *PBs fortasse recte* (*ablatiuus*).

16 e. Cf. Jug. 11, 30-39   ‖   **17** a. Cf. Ex. 14, 15-31   ‖   b. Cf. Ex. 32, 1-6   ‖   c. Cf. Col. 3, 5 ; Éphés. 5, 5   ‖   d. Cf. Lév. 13, 12 ; Nombr. 12, 1-10.

29. Évagre le Pontique, *Traité pratique*, prol. 41 : πλεονεξίαν

Jephté   Jephté rentra, vainqueur des ennemis, mais à l'heure
où il ramenait ses étendards triomphants, il fut vaincu
par son propre serment, en sorte qu'il crut devoir payer d'un
parricide l'amour de sa fille accourant à sa rencontre [e]. Et
tout d'abord, quel besoin de faire un serment avec autant de
légèreté et de faire vœu, pour des choses certaines, de choses
incertaines dont il ne pouvait connaître l'issue ? En second
lieu, c'est rendre ses serments odieux au Seigneur Dieu, s'il
faut admettre qu'on ne puisse les accomplir que par des meurtres
sanglants.

Aaron et Marie   17. Je ne pense pas non plus qu'il faille
garder le silence au sujet des prêtres : je ne
voudrais pas paraître dissimuler nos manquements. Aaron
lui-même, le grand prêtre, sous la conduite duquel, avec Moïse,
le peuple hébreu traversa à pied la mer Rouge [a], fut sollicité
par le peuple de lui faire des dieux qu'il pût adorer ; il demanda
de l'or, le fit fondre au feu et l'on en façonna une tête de veau
à laquelle on offrit des sacrifices [b]. Preuve éclatante que la
soif de l'or est cause d'infidélité[29] et que la passion de l'avarice a
coutume d'engendrer des sacrilèges [c]. Une autre fois, ce prêtre
si grand tomba, avec sa sœur Marie, dans une occasion de
péché. En effet, alors qu'Aaron et Marie critiquaient leur frère
pour avoir épousé une femme étrangère, brusquement Marie fut
couverte des efflorescences de l'infection, qui rendit sa chair
tachetée [d]. 18. En ce passage de l'Écriture, il y eut la figure
d'un mystère clairement indiqué : ce peuple sacerdotal des
anciens Hébreux outragerait par la suite un peuple frère, en
ignorant le mystère de cette femme éthiopienne[30]. S'il l'avait,
en effet, connu, il n'aurait pas blâmé ce qui était en accord
avec cet antique mystère. C'est pourquoi lorsque le Juif déclare
impur celui qui, appelé parmi les Gentils, a cru et qu'il veut
le retrancher de la Loi, il a une lèpre, dont il ne pourra se délivrer
que si l'intelligence spirituelle de la Loi lui est accordée en

δὲ φεύγοντες ὡς εἰδωλολατρίας μητέρα. On peut se demander s'il ne faut
pas corriger *materiam* en *matrem*, si l'on compare avec *De Helia et ieiunio*, 41 :
« Perfidiae mater ebrietas est. »
   30. ORIGÈNE, *In Numeros*, VI, 4 et VII, 1, p. 36-38 Baehrens.

19. Ergo et Dauid, qui sciret hominem se esse natum lapsui, ueniam postulauit, domini autem non desperauit misericordiam.

V, **20.** Nec parabola uidetur a mysterio discrepare. Quis enim diues nisi dominus noster Iesus, qui de se ait, ut hodie lectum est, quod *homo quidam cum diues esset, abiit in regionem longinquam accipere regnum et reuerti* [a] ?
5 Et uere diues erat maiestatis suae opibus et diuinitatis propriae plenitudine [b], cui angeli et archangeli, uirtutes, potestates, principatus, throni et dominationes, Cherubin et Seraphin [c] indefesso obsequio seruiebant [d].

Sed tamen cum diues esset [e], reliquit nonaginta et
10 nouem in montibus oues et unam ouem, quae lassa remanserat, requisiuit [f]. Hanc princeps istius mundi [g] contemplatione illius diuitis egenus et pauper quasi filiam alimentis propriis nutriebat [h]. Merito itaque defecerat cui substantia erat cibus saeculi. Errauerat haec ouis in Adam insidiis

20, 6-7 uirtutes potestates principatus *scripsi* : uirtutis potestatis principatus *K*   et potestates uirtutes et principatus *P* et uirtutes et potestates et principatus *B*   uirtutes et potestates et principatus *s.*

20 a. Lc 19, 12   ‖   b. Cf. Col. 2, 9   ‖   c. Cf. Col. 1, 16 ; Éphés. 1, 21   ‖   d. Cf. Matth. 4, 11 ; Lc 22, 43 ; Hébr. 1, 14 ‖   e. Cf. II Cor. 8, 9   ‖   f. Cf. Matth. 18, 12-14   ‖   g. Cf. Jn 12, 31 ; 14, 30   ‖   h. Cf. II Sam. 12, 3.

31. Cf. Introduction, p. 12. La « parabole », c'est le texte évangélique lu ce jour-là, la « figure », c'est le sens du psaume 50, thème de la prédication d'Ambroise.

vue du pardon. **19.** David donc, lui aussi, parce qu'il se savait homme et capable de tomber, demanda son pardon et ne désespéra pas de la miséricorde du Seigneur.

4. Le péché de David justifié
en tant que figure du mystère de l'Incarnation

La parabole de Nathan et la parabole des mines

Le riche **V, 20.** Et il n'y a pas de dissonance,
représente Jésus semble-t-il, entre la parabole et la figure.
Qui est, en effet, le riche, si ce n'est Jésus, notre Seigneur, qui dit de lui-même, comme on l'a lu aujourd'hui[31] : « Un homme, qui était riche, partit pour un pays lointain, afin d'y recevoir la royauté et revenir ensuite[a] » ? Et il était vraiment riche des richesses de sa majesté et de la plénitude d'une divinité qui lui appartenait en propre[b], lui que les Anges[32] et les Archanges, les Vertus, les Puissances, les Principautés, les Trônes et les Dominations, les Chérubins et les Séraphins[c] servaient dans une inlassable soumission[d].

La brebis : Et pourtant, tout riche qu'il fût[e],
la chair de l'homme, il abandonna quatre-vingt-dix-neuf de
possession du démon ses brebis dans les montagnes, et il se mit à la recherche d'une unique brebis qui, fatiguée, était demeurée en arrière[f]. Cette brebis, le prince de ce monde[g], pauvre et démuni en comparaison de ce riche dont nous parlons, la nourrissait comme sa fille, de ses aliments à lui[h]. Il était donc naturel qu'elle eût défailli, elle qui n'avait pour subsister que les nourritures du siècle. Elle s'était égarée en Adam[33], notre brebis attirée par les pièges

---

32. Cf. *Exp. Eu. sec. Lucam*, VII, 210 : « Diues igitur pastor, cuius omnes nos centesima portio sumus. Habet angelorum, habet archangelorum, dominationum, potestatum, thronorum aliorumque innumerabiles greges, quos in montibus dereliquit. »

33. Cf. *Exp. Eu. sec. Lucam*, VII, 209 : « Gaudeamus igitur quoniam ouis illa, quae perierat in Adam, leuatur in Christo. » Voir également HILAIRE, *In Matth.*, XVIII, 6.

15 sollicita serpentis [i]. **21.** Et non mala ouis, quae erat uerbi
plena, utpote rationabilis ebdomadis filia et sancti munus
auctoris : tamen non pretiosis aliquibus, sed uilibus pauperis
diu opibus alebatur. Denique *de pane,* inquit, *eius manduca-*
5 *bat et de calice eius bibebat et in sinu eius dormiebat* [a]. Non
bona esca Aethiopum [b], noxius calix aureus Babylon, qui
gentes inebriat [c] : non utilis somnus est dormientibus, malo
uigilare. Denique *turbati sunt omnes insipientes corde,*
obdormierunt somnum suum et nihil inuenerunt [d].

10   Hospitii igitur gratia, quia susceperat hospitem, ut
ei epulas exhiberet, illam pauperis ouem abstulit [e] ;
de suis enim uel gregibus uel armentis si quod animal
immolaret, nobis prodesse non poterat, quos nisi immolasset,
non redemisset. **22.** Infirmitates [a] igitur nostrae fragilitatis
in sua carne hospitali quodam suscepit affectu, cuius
leuandae causa uel potius reficiendae carnem suam salutari
illi optulit passioni, ut cibum nobis uitae praeberet aeternae.

5   Et bene *agnam* dixit scriptura [b], quia erat uirginis partus.
Bene *dignus morte* pronuntiatur diues iste [c] iudicio prophetico, quia et Caiphas prophetauit dicens : *expedit*
unum hominem mori pro populo [d]. Solus autem dominus
Iesus tali dignus electus est morte, qua tolleret peccatum
10 mundi [e]. Pulcre quoque addidit : *Agnam restituet* [f], quia
carnem propriam resuscitauit, carnem illam uirginalis

---

20 i. Cf. Gen. 3, 1-6   ‖   21 a. II Sam. 12, 3   ‖   b. Cf. Ps. 73,
14 (LXX)   ‖   c. Cf. Jér. 28, 7 (51, 7 hébr.) ; Apoc. 17, 4-5
‖ *() d.* Ps. 75, 6 (LXX)   ‖   e. Cf. II Sam. 12, 4   ‖   22 a.
Cf. Is. 53, 4 ; Hébr. 4, 15   ‖   b. Cf. II Sam. 12, 3   ‖   c. Cf. II
Sam. 12, 5   ‖   d. Jn 11, 50   ‖   e. Cf. Jn 1, 29   ‖   f. II
Sam. 12, 6.

34. Allusion à l'étymologie du nom « Bersabée », cf. F. Wutz, *Onomastica*
sacra, p. 629 : θυγάτηρ πεπληρωμένη, θυγάτηρ ἑβδομος. On pourrait penser
que Bersabée représente l'humanité avant la venue du Christ, donc soumise
à l'économie de l'Ancienne Alliance, représentée par le chiffre « sept », cf.
Lettre 44 (Faller XXXI), 6 : « Ebdomas ueteris Testamenti est, octaua noui. »

du serpent [i]. **21.** Ce n'était pas une méchante brebis, attendu qu'elle était « remplie » du Verbe, en tant qu'elle était la « fille de l'hebdomade mystique[34] » et l'ouvrage du saint créateur. Pourtant, longtemps, elle ne fut pas nourrie de biens précieux, mais de pauvres biens d'un miséreux. Car « elle mangeait, dit l'Écriture, de son pain, buvait à sa coupe et dormait sur son sein [a]. » Elle était loin d'être bonne la nourriture des Éthiopiens [b], funeste était la coupe d'or de Babylone, qui enivrait les nations [c]. Le sommeil ne sert de rien pour ceux qui dorment, j'aime mieux veiller. Car « l'égarement a saisi tous les hommes au cœur fol ; ils ont dormi leur sommeil et ils n'ont rien trouvé [d]. »

La brebis : **la chair du Christ** **immolée et ressuscitée**	Pour satisfaire à l'hospitalité, car il avait reçu un hôte, et servir un repas à celui-ci, c'est cette brebis du pauvre [e] qu'il prit ; en effet, s'il

avait immolé l'une de ses brebis ou l'un de ses bœufs à lui, cela n'aurait pu être pour nous d'aucun secours. Car si ce n'était pas nous qu'il eût immolés, il n'aurait pas pu nous racheter. **22.** Les maladies [a] consécutives à notre faiblesse, il les a donc accueillies en sa chair hospitalière, par un extraordinaire amour ; et pour soulager ou plutôt pour recréer notre fragilité, il a offert sa chair à cette glorieuse passion salvatrice, afin de nous donner la nourriture de la vie éternelle.

Et l'Écriture a bien raison de parler d'« agnelle [b] », puisque cette chair était le fruit de la Vierge. Et c'est avec raison que ce riche est déclaré « digne de mort [c] » par un jugement prophétique, puisque, à son tour, Caïphe prophétisa quand il dit : « Il convient qu'un seul homme meure pour le peuple [d] .» Or, seul le Seigneur Jésus a été déclaré digne d'une mort telle que, grâce à elle, il enlèverait le péché du monde [e]. Et il est beau que l'Écriture ait ajouté : « Il rendra l'agnelle [f] .» En effet, il a ressuscité sa propre chair, il a restitué cette chair dans

---

C'est pourquoi Bersabée serait « rationabilis ebdomadis filia ». Mais le parallèle entre « fille de l'hebdomade mystique » et « ouvrage du saint créateur » pourrait aussi faire penser à l'œuvre de la Création. La semaine mystique correspondrait aux sept jours de la Genèse. Dans la suite de l'exégèse d'Ambroise (§ 22), la brebis devient ensuite l'humanité du Christ. Bersabée représenterait ainsi finalement au § 20 et au § 22 la nature humaine.

integritatis reddidit. Nec illud otiosum quod ait : *In qua-druplum restituet* [g], quadruplatur enim resurrectio mor-tuorum, sicut docet apostolus dicens : *Seminatur in cor-*
15 *ruptione, surgit in incorruptione ; seminatur in ignobilitate, surgit in gloria ; seminatur in infirmitate, surgit in uirtute ; seminatur corpus animale, surgit corpus spiritale* [h]. Restituet plane in quadruplum agnam etiam illo modo quo potest iam homo dicere : *Si cui aliquid abstuli, reddo quadruplum* [i].
20 Conuenienter etiam illud adiecit : *quia non pepercit* [j] ; non enim pepercit sibi Christus [k], ut omnibus subueniret.

23. Ideoque ei dictum est a domino Iesu Christo ad seruum suum Dauid, ut mysterium declararet : *Quoniam tu hoc fecisti in occulto, et ego faciam hoc uerbum coram omni Istrahel in conspectu solis huius* [a]. Et primo quidem nesciens
5 sacramentum commotus est Dauid indignatione [b], sed non errauit affectu. Postea uero ubi cognouit mysterium ma-gnum — magnum enim sacramentum Christi et ecclesiae [c] —, uidens remissionem futuram omnium peccatorum, praeui-dens fulgorem gratiae per lauacrum regenerationis et
10 infusionem spiritus sancti [d] ait securus ueniae : *peccaui domino* [e], ut et ipse in eorum ueniret consortium quibus culpae remissio proueniret. Aduertis quemadmodum pecca-tum proprium deplorauerit ? Quis igitur ei miretur esse dimissum ?

23, 1 ideoque ei *KP^{pc}* (ei *s.u.P¹*) *P'* : ideoque *Pacs.*

22 g. II Sam. 12, 6 ‖ h. I Cor. 15, 42-44 ‖ i. Lc 19, 8 ‖ j. II Sam. 12, 6 ‖ k. Cf. Rom. 8, 32 ‖ **23** a. II Sam. 12, 12 ‖ b. Cf. II Sam. 12, 5 ‖ c. Cf. Éphés. 5, 32 ‖ d. Cf. Tite, 3, 5-6 ‖ e. II Sam. 12, 13.

son intégrité virginale. Et il n'est pas inutile non plus que l'Écriture ait dit : « Il rendra l'agnelle au quadruple [g] .» Car quadruple est la résurrection des morts, comme l'enseigne l'Apôtre en disant : « Le corps est semé dans la corruption, il ressuscite dans l'incorruption ; il est semé dans l'ignominie, il ressuscite dans la gloire ; il est semé dans la faiblesse, il ressuscite dans la force ; il est semé comme corps animal, il ressuscite comme corps spirituel [h] .» Il est vrai qu'il rendra aussi l'agnelle au quadruple, au sens où déjà un homme peut dire : « Si j'ai frustré quelqu'un, je lui restitue le quadruple [i] .» Et c'est encore bien à propos que l'Écriture a ajouté ces paroles : « Parce qu'il n'a pas eu pitié [j] », car le Christ n'a pas eu pitié de lui-même [k] pour secourir tous les hommes.

La rémission des péchés révélée à David   **23.** Et c'est pourquoi aussi il lui a été dit — par le Seigneur Jésus Christ à son serviteur David — afin qu'il proclame le mystère : « Puisque tu as fait cela dans l'ombre, je le ferai, moi, devant tout Israël, à la face du soleil qui nous éclaire [a]. » Et tout d'abord, c'est vrai, dans son ignorance du mystère, David fut bouleversé d'indignation [b], mais son cœur n'erra pas. Ensuite, dès qu'il eut connu le grand mystère — car grand est le mystère du Christ et de l'Église [c] —, voyant dans l'avenir la rémission de tous les péchés[35], prévoyant l'éclat de la grâce que l'on trouverait par le bain de la régénération[36] et l'infusion de l'Esprit Saint [d], sûr du pardon, il dit : « J'ai péché contre le Seigneur [e] .» Il voulait lui aussi partager le sort de ceux qui connaîtraient la rémission de leur faute. Vois-tu comme il a pleuré son propre péché ? Qui s'étonnerait qu'il lui ait été pardonné ?

---

35. Cette vision prophétique du sacrement de baptême se retrouve plus bas au § 58.

36. Cf. G. MADEC, *Saint Ambroise et la philosophie*, p. 276, n. 38.

VI, **24.** Nunc consideremus opera eius, quibus potuit
tegere peccatum [a]. Etenim quia non potest sine peccato
esse humana fragilitas, cauendum ne plura peccata sint
quam opera uirtutum. Quod magna ui sapientiae suae
5   sanctus Paulus expressit dicens : *Quorundam hominum*
peccata manifesta sunt praecedentia ad iudicium, quosdam
autem et subsequuntur [b], hoc est : non inuenitur quisquam
inlibatus a culpa ; habet quis bona merita, habet et uitia
atque peccata. Omnia itaque nostra quasi in trutina ponde-
10 rantur [c]. Si bonis igitur factis peccata praeponderant,
praecedunt ad iudicium ; uergunt enim peccata quasi
in profundum, uergunt quae manifesta sunt uel pondere
atque acerbitate uel multitudine. *Quosdam autem*, inquit,
et subsequuntur, hoc est eos qui se egerint sobrie, sed fragi-
15 litate condicionis dederint aliquando etiam errori locum
bona facta praecedunt, mala sequuntur. Hi honestiores,
sed tamen homines lapsi leuioribus uitiis et erratis. Ergo
iustos sequuntur peccata, non praeeunt : iniustos praecedunt. Praeponderant peccata quae uergunt, sequuntur
20 autem si qua recte facta sunt quasi quodam praeiudicio

24, 20 qua *KPB* : quae *s*.

24 a. Cf. Ps.31, 1   ‖   b. I. Tim. 5, 24   ‖   c. Cf. Job 31, 6.

---

37. Cf. *Lettre* 2, 14-16 où l'on retrouve une liaison analogue entre les idées
suivantes : aucun homme n'est exempt de péché ; mais le péché ne doit pas

5. Le péché de David justifié
par ses bonnes œuvres

Les bonnes œuvres   VI, **24**. Considérons maintenant les œuvres
couvrent le péché   de David, par lesquelles il a pu couvrir
son péché [a]. En fait, il n'est pas possible
que l'humaine fragilité demeure sans péché ; il faut donc prendre
garde que les péchés ne soient pas plus nombreux que les œuvres
des vertus[37]. C'est un point que saint Paul, avec la force magni-
fique de sa sagesse, a bien mis en relief en disant : « Il est des
gens dont les péchés sont manifestes, les précédant pour le
jugement ; pour d'autres, au contraire, leurs péchés les
suivent [b].» Ceci revient à dire qu'on ne peut trouver un homme
qui n'ait été souillé par le péché ; quelqu'un peut avoir de
bons mérites, il a aussi des vices et des péchés. C'est pourquoi
tous nos actes sont pesés pour ainsi dire dans une balance [c].
Si donc les péchés pèsent plus que les bonnes actions, ils nous
précèdent pour le jugement. Les péchés, en effet, tendent en
quelque sorte vers le bas ; ils tendent vers le bas, les péchés
qui sont manifestes, soit par leur gravité et leur méchanceté,
soit par leur multitude. « Pour d'autres, dit l'Apôtre, au
contraire, leurs péchés les suivent », c'est-à-dire qu'il est des
hommes dont la conduite a été sage, mais qui, par suite de la
fragilité de la condition humaine, ont donné parfois quelque
prise au mal : ceux-là leurs bonnes actions les précèdent, leurs
mauvaises actions les suivent. Ce sont les plus vertueux, mais
pourtant ce sont des hommes qui sont tombés dans des fautes
et des errements de moindre importance. C'est pourquoi, quand
il s'agit des justes, leurs péchés les suivent, ils ne marchent
pas devant eux ; mais s'il s'agit des hommes injustes, c'est
devant eux que marchent leurs péchés. Les péchés sont plus
lourds que les bonnes actions, lorsqu'ils tendent vers le bas ;
mais les péchés ne font que marcher derrière l'homme si de
bonnes actions sont pour ainsi dire alourdies du dommage qui

---

prédominer (cf. *I Tim.* 5, 24-25) ; au contraire les bonnes œuvres doivent
« recouvrir » les péchés (*I Pierre* 4, 8).

peccatorum praeeuntium praegrauata. *Similiter et facta
bona manifesta sunt* d. Lucent e enim opera uirtutum et
splendor meritorum. *Et quae aliter se habent abscondi non
possunt* f. Ergo talia non teguntur g, non obumbrat ea
25 *caritas* quae *operit multitudinem peccatorum* h, non operit
operum bonorum gratia, non abscondit multitudo uirtutum :
quasi nuda et intecta produntur. Non est enim in his
qui dicat : *sub umbra alarum tuarum protege me* i ; crux
enim domini omnes abolet atque abscondit errores.

25. Quis igitur magis operuit a et texit b quam sanctus
Dauid, qui et alibi ait : *Et in umbra alarum tuarum speraui,
donec transeat iniquitas* c, et sic dilexit dominum, ut nimia
caritate peccatum omne tegeret atque absconderet. Etenim
5 si sanctus apostolus Petrus lapsum suum confessione
caritatis aboleuit et ille interrogatus a domino dicente ei tertio : *Simon Iohannis, amas me* d ? ut quem tertio negauerat e
tertio fateretur atque ita trino quodam dilectionis uela-
mine lapsum trinae negationis absconderet : si quia semel
10 fleuit Petrus ueniam reportauit, quanto magis Dauid,
qui lauabat per singulas noctes lectum suum et lacrimis
stratum suum rigabat f, cui erant lacrimae suae panis die
ac nocte g, qui cinerem sicut panem manducabat et potum
suum cum fletu miscebat h. Etenim si eius qui conuersus
15 ingemuerit miseretur Iesus, si Petrum aspexit et ille fleuit i,
quanto magis qui diu fleuit a conspectu domini non recessit ?
Negauit Petrus et non fleuit, quia non respexerat Iesus ;

24, 22 opera *K* : opere *PBs*   ‖   23 splendor *K* : splendore *PBs*.

24 d. I Tim. 5, 25   ‖   e. Cf. Matth. 5, 16   ‖   f. I Tim. 5, 25
‖ g. Cf. Ps. 31, 1   ‖   h. I Pierre 4, 8   ‖   i. Ps. 16, 8   ‖
25 a. Cf. I Pierre 4, 8   ‖   b. Cf. Ps. 31, 1   ‖   c. Ps. 56, 2

a été causé par les péchés commis auparavant. « De la même manière, les bonnes actions elles aussi sont manifestes [d]. » Car les œuvres des vertus et la splendeur des mérites resplendissent au grand jour [e]. « Mais les actions qui sont d'une autre nature, ne peuvent être cachées [f]. » C'est pourquoi de telles actions ne peuvent être couvertes [g]. « L'amour qui recouvre la multitude des péchés [h] » ne les voile pas ; et ne les couvre pas davantage la grâce des bonnes œuvres ; ne les cache pas la multitude des vertus : c'est pour ainsi dire nues et sans voiles que s'avancent de telles actions. Il n'y a en effet personne qui, s'il s'adonne à elles, puisse dire : « Sous l'ombre de tes ailes protège-moi [i]. » Car c'est la croix du Seigneur qui efface et cache tout égarement.

Le repentir couvre le péché   25. Qui donc a mieux couvert [a], qui donc a mieux caché [b] (ses péchés) que le saint David, qui dit encore ailleurs : « A l'ombre de tes ailes, j'ai mis mon espérance, jusqu'à ce qu'il n'y ait plus trace de l'iniquité [c]. » Et il a si bien aimé le Seigneur que son amour extrême a couvert et dissimulé tout son péché. De fait, si le saint apôtre Pierre a effacé sa chute en confessant son amour, et ceci sous l'interrogation du Seigneur qui lui dit trois fois : « Simon, fils de Jean, m'aimes-tu [d] ? », afin que celui qui l'avait renié trois fois [e], le confessât aussi trois fois et cachât ainsi sous un triple voile d'amour la triple faute de son reniement, si, parce qu'il pleura une seule fois Pierre a obtenu son pardon, combien plus David l'obtiendra-t-il qui, chaque nuit, baignait sa couche et de ses larmes arrosait son lit [f], dont les larmes étaient le pain, nuit et jour [g], qui avait la cendre pour pain et mêlait ses pleurs à sa boisson [h] ! En effet, si Jésus a pitié de celui qui, s'étant retourné, se prit à gémir, s'il lui a suffi de regarder Pierre pour que Pierre pleurât [i], combien plus celui qui a pleuré longtemps ne s'est-il pas écarté de la vue du Seigneur ! Pierre renia Jésus et ne pleura pas, car Jésus ne l'avait pas regardé ; il le renia encore une seconde

---

‖ d. Jn 21, 15-17   ‖   e. Cf. Matth. 26, 69-75 ; Lc 22, 56-62   ‖
f. Cf. Ps. 6, 7   ‖   g. Cf. Ps. 41, 4   ‖   h. Cf. Ps. 101, 10   ‖
i. Cf. Lc 22, 61-62.

negauit secundo et non fleuit, quia non respexerat dominus ;
negauit tertio, respexit Iesus, et statim fleuit et fleuit ama-
20 rissime. Et ideo Dauid, qui semper flebat, dicebat : *Oculi
mei semper ad dominum* [j], qui semper uidebatur a Christo,
dicebat : *Per exitus aquarum descenderunt oculi mei* [k].

26. Sed iam etiam facta eius consideremus. Quis non
tantarum laude uirtutum unius criminis obumbraret
inuidiam ? Diuino electus examine [a] statim probauit indignum se tanto non esse iudicio. Processit in proelium et
5 trepidantibus ceteris solus allophylum Goliam uerborum
iactantia et inmanis corporis mole terribilem concurrenti
simul fide ac uirtute prostrauit [b]. Vnius fortitudo facta
est uniuersorum uictoria. Conferatur, si placet, priuatum
crimen et triumphus omnium, mors unius et tantorum
10 quos liberauit a morte uita populorum.

27. Veniamus ad alia. Insidias patiebatur a rege ; uitam
eius quaerebat extinguere, sed dispositione diuina in
eius rex potestate traditus, cum totus pateret ad uulnus
ferituris sociis Dauid sanctus occurrit et a corpore perituri
5 uulnus letale detorsit [a] dicens : Nolite tangere christum

---

25, 20 et ideo *K* : ideo *PBs* ‖ 27, 3 potestate *KB* : potestatem *Ps*.

25 j. Ps. 24, 15 ‖ k. Ps. 118, 136 ‖ **26** a. Cf. I Sam. 16,
11-13 ‖ b. Cf. I Sam. 17, 1-58 ‖ **27** a. Cf. I Sam. 23, 7 -
24, 8 ; 26, 1-11.

38. Cf. *Exp. Eu. sec. Lucam*, X, 88-91 et 174-176. Le thème est repris

fois et ne pleura pas, car le Seigneur ne l'avait pas regardé ; il le renia une troisième fois ; Jésus le regarda et, sur le champ, Pierre pleura et pleura les larmes les plus amères[38]. Et c'est pourquoi David qui pleurait sans cesse, disait : « Mes yeux sont toujours tournés vers le Seigneur [j]. » Lui qui était toujours regardé par le Christ, il disait : « Mes yeux sont descendus en torrents de larmes [k] [39]. »

**Les vertus de David :
sa force**

26. Mais considérons aussi désormais ce que furent ses actions. Qui ne voudrait cacher, avec le glorieux éclat de tant de vertus, l'odieux d'une seule action criminelle ? Un jugement divin le choisit [a] et tout de suite il fit voir qu'il n'était pas indigne d'une telle décision. Il marcha au combat et, alors que tous les autres tremblaient, ce Philistin Goliath, dont la jactance verbale et le corps énorme et monstrueux inspiraient la terreur, lui tout seul, alliant la foi au courage, il le jeta à terre [b]. La vaillance d'un seul homme fut la victoire de tout un peuple. Que l'on mette donc en parallèle, si l'on y tient, une action criminelle qui n'a atteint qu'un simple particulier et un triomphe qui a profité à tous, la mort d'un seul homme et la vie de tant de peuples que David a libérés de la mort.

**Son respect
de l'autorité royale**

27. Venons-en à d'autres bonnes œuvres. Il avait à supporter les embûches du roi qui cherchait à lui enlever la vie ; mais, par une disposition divine, ce fut le roi qui fut livré en son pouvoir : alors que ce dernier était entièrement exposé aux coups, le saint David courut au devant de ses compagnons qui allaient frapper et détourna le coup fatal du corps de celui qui allait être tué [a], en disant : Ne touchez pas à l'Oint du

---

plus bas dans l'*Apologia*, § 50, avec une insistance qui s'adresse peut-être à l'empereur Théodose.

39. Cf. *Exp. Ps. CXVIII*, 17, 31-36, notamment les remarques d'Ambroise, § 36, sur les versions grecques κατεβίβασαν : *deuexerunt*, et κατέβησαν : *descenderunt* (version retenue par Ambroise). Sur le problème textuel du verset 136 du psaume 118, cf. M. HARL, *La chaîne palestinienne sur le psaume 118, SC* 190, Notes, p. 720-721. Voir également *De paenit.*, II, 10, 93.

domini [b]. Quin etiam inimici illius ultus est mortem, flebiliter
satis deplorauit interitum [c] et debitum sibi imperium diu
distulit [d], quod sciebat deo auctore deberi. Quo solo docuit
omnes homines non praeripiendum regnum, etiamsi debea-
10　tur, sed expectandum ut suo tempore deferatur.

Vtinam hunc uirum imitati essent posteri. Non tantas
bellorum pertulissemus acerbitates. Arguis quod unum
occiderit, non consideras quod docuerit quemadmodum
pax orbi romano perpetua seruaretur. Quam graui adhuc
15　luimus uastitate, quam publico quodam totius orbis funere
adpetiti necem regis exsoluimus ? heu dura supplicia.
Inde adhuc nobis barbarus hostis insultat, dum parata
aduersum se in nos arma uertuntur. Sic uires ceciderunt
publicae, sic romana uirtus suis motibus fracta consenuit,
20　dum publico rapitur parricidio, quod paternae sollicitudinis
religione suscipitur. Idque eo usque praecauit, ut cum
Adoniam filium regnum sibi usurpare conperisset et serere
conuentus, non eum qui praeripere gestiebat, sed eum
qui expectaret eligeret [e].

28. Saltabat ante arcam domini potentissimus regum et,
cum a propria reprehenderetur uxore, quod denudatus
esset ante faciem puellarum [a], respondit : *Coram domino
nudabor adhuc et ero nugas ante oculos tuos, ut honorifice-*
5　*tur,* inquit, *dominus, qui me pro patre tuo adsciuit in*

28, 2 propria *KPB* : proprio *s.*

27 b. Cf. I Sam. 24, 7 ; 26, 11 ; I Chr. 16, 22 (= Ps. 104, 15)　∥　c.
Cf. II Sam. 1, 14-27　∥　d. Cf. II Sam. 2, 1 - 5, 4　∥　e. Cf.
III Rois 1, 5-39　∥　**28** a. Cf. II Sam. 6, 14.16.20.

Seigneur [b]. Bien plus, il vengea même la mort de cet ennemi
déplora son meurtre avec force larmes [c], différa longtemps
de prendre le pouvoir qui lui était dû [d], car il savait que le
pouvoir n'est un dû que lorsque Dieu en est le garant. Par
ce seul geste, il a appris à tous les hommes qu'on ne doit pas
s'emparer prématurément du pouvoir, même si c'est un dû,
mais qu'il faut attendre qu'il soit conféré au moment légitime.

Plût au ciel que, par la suite, on eût imité notre héros [40] :
nous n'eussions pas eu à supporter les si terribles malheurs
de la guerre ! On reproche à David d'avoir tué un homme,
un seul, et on ne veut pas voir qu'il nous a enseigné comment
une paix perpétuelle peut être assurée au monde romain !
De quelles terribles dévastations n'expions-nous pas aujourd'hui
encore, de quel deuil public du monde entier ne payons-nous
pas le meurtre d'un roi dont on convoitait le pouvoir ! Ah ! les
cruels tourments ! De là vient qu'un ennemi barbare nous
attaque encore, tandis que se tournent contre nous-mêmes
les armes préparées contre lui. Ainsi se sont effondrées les
forces du peuple romain, ainsi s'est épuisée la puissance
romaine, énervée par ses propres convulsions, tandis qu'on
ravissait, par un parricide qui endeuillait l'Empire, un pouvoir
qu'on aurait dû recevoir dans le respect des sages dispositions
paternelles. C'est pourquoi David, ayant découvert que son
fils Adonias voulait lui ravir le trône et qu'il multipliait les
conciliabules à cette fin, prit la précaution de choisir non celui
qui brûlait du désir de s'emparer du trône avant l'heure, mais
celui qui était assez sage pour attendre [e].

**Son respect
encore plus grand
de la religion**

28. Le plus puissant des rois dansait
devant l'arche du Seigneur et, tancé
par sa propre femme, parce qu'il s'était
dévêtu en présence des jeunes filles [a],
il lui répondit : « Je me dévêtirai encore devant le Seigneur et
je passerai à tes yeux pour un homme de rien, afin que soit
glorifié — ajouta-t-il — le Seigneur qui m'a appelé au trône

_____

40. Cf. Introduction, p. 35. Sur l'attitude de David à l'égard de Saül,
cf. _De off._, III, 5, 33. Sur ce long développement concernant les vertus de
David, cf. Introduction, p. 20, 21 et 43.

regnum [b], docens contuitum regalis potentiae non haben-
dum, ubi religioni exhibeatur obsequium. Honestum
est enim pro religione facere, etsi id incongruum potestati
sit.

29. Specta aliud memorabile. Parricida filius regnum
patrium uiolenter inuaserat. Cedebat primo pater eius
furori et locum proelii declinabat, ut uel sic impius a furore
resipisceret [a]. Bello quoque interesse noluit, rogauit ad
5   proelium profecturos ut parcerent filio [b]. Securus erat
et uictoriae, qui rogabat ut parcerent, nec pietatis alienus,
qui perire debere etiam inpium filium non putabat. Fleuit
et magno luctu deplorauit exitum parricidae dicens :
Filius meus Abessalon, quis dabit mihi mortem pro te, filius
10   *meus Abessalon* [c] ? Vindicandum putabat eum qui pro
paternae uindicta pietatis occiderat [d].

30. Quam uero iniuriae patiens et doloris. Cedebat,
ut dixi, fili sui Abessalon furori uallatus dextra laeuaque
ualidis bellatoribus, maledicebat ei uir, cui nomen Semei,
cruentum appellans et uirum sanguinis dignoque iudicio
5   domini deiectum esse de regno [a] : sed ne talibus quidem
mouebatur conuiciis, mouebantur autem comites eius.
Denique unus ex sociis — Abessa nomen uiro — minitatus
est quod iniuriae pretium caput eius auferret. Sed rex
conuersus ad Abessa : *Quid mihi*, inquit, *et tibi est, fili*
10   *Saruiae* ? *Ideo maledicit mihi, quoniam dominus dixit*

28, 7 exhibeatur *K* : exhibetur *PBs*   ‖   **29,** 6 et uictoriae *K* : uictoriae *Bs*   de uictoria *P*.

28 b. II Sam. 6, 21-22 (LXX)   ‖   **29** a. Cf. II Sam. 15, 1-14   ‖
b. Cf. II Sam. 18, 5   ‖   c. II Sam. 19, 1   ‖   d. Cf. II Sam.
18, 14 ; III Rois 2, 5   ‖   **30** a. Cf. II Sam. 16, 7-8.

à la place de ton père [b41]. » Il voulait nous apprendre ainsi qu'on ne doit pas avoir égard à la puissance royale lorsqu'il s'agit de rendre hommage à la religion. Car tout ce que l'on fait en faveur de la religion est honorable, même si cela est inconvenant pour le pouvoir suprême.

Sa miséricorde 29. Considère maintenant un autre fait digne de mémoire. Le fils parricide avait attaqué avec violence le pouvoir paternel. Le père céda d'abord devant sa folie et refusa le combat, afin d'obtenir, fût-ce à ce prix, que l'impie revînt de sa folie [a]. Il ne voulut pas non plus prendre part à la guerre et il pria ceux qui allaient marcher au combat d'épargner son fils [b]. Il était sûr même de la victoire, lui qui demandait que l'on fît quartier, et il n'était pas fermé à la tendresse, lui qui ne pensait pas que son fils dût périr tout impie qu'il fût. Ses larmes coulèrent et, à grand deuil, il pleura la mort du parricide, en disant : « Abessalon, mon fils, qui me frappera à mort à ta place, Abessalon, mon fils [c] ? » Il estimait qu'il devait punir celui qui avait frappé pour venger l'affront fait à l'amour paternel [d].

Sa patience 30. Et comme il savait endurer l'injustice et la souffrance ! Il cédait, comme je l'ai dit, devant la folie de son fils Abessalon. Alors que de valeureux guerriers lui faisaient un rempart à droite et à gauche, un individu appelé Semei le maudissait, le traitant d'assassin et d'homme de sang et disant que c'était par un juste jugement du Seigneur qu'il avait été jeté à bas de son trône [a] ; mais même de pareilles invectives ne l'émouvaient pas, alors qu'elles émouvaient son entourage. A la fin, un de ses compagnons — Abessa était le nom de l'homme — menaça Semei de lui faire payer de sa tête ses injures. Mais le roi, s'étant tourné vers Abessa, lui dit : « Qu'ai-je à faire avec toi, fils de Sarvia ? S'il me maudit, c'est

41. Cf. *Exp. Ps. CXVIII*, 7, 27 ; *Lettre* 58 (Faller XXVII), 6 et, pour la leçon morale, *De paenit.*, II, 6, 42. Les lignes qui suivent (« tout ce que l'on fait en faveur de la religion est honorable, même si cela est inconvenant pour le pouvoir suprême ») peuvent être une exhortation à la pénitence destinée à Théodose.

illi, ut maledicat [b]. Quam moraliter docuit quod iniuriarum
uel periculorum nostrorum tempora temptationum certamina et examina probationum sint et ideo non sine diuino
ea inrogari solere iudicio. Exercetur bonus athleta conuiciis,
15 exercetur laboribus et periculis, ut dignus sit cui deferatur
corona iustitiae [c]. Et ideo ferenda patienter sunt quae
putantur aduersa. Denique et alibi id te docet scriptura
diuina dicente iusto : *Si bona accepimus de manu domini,*
quae mala sunt cur non sustinemus [d] ?

31. Et addidit sanctus propheta dicens : *Ecce filius meus,*
qui exiuit de uentre meo, quaerit animam meam. Si autem
Iemineus maledicit mihi, dimitte illum ut maledicat, quoniam
dixit illi dominus, ut uideat humilitatem meam, et retribuet
5 *mihi dominus pro maledicto hoc* [a]. O altitudo prudentiae, o
insigne patientiae, o deuorandae contumeliae grande
inuentum. Moueris, inquit, Abessa, quod mihi maledicat
extraneus, quem parricidio petit filius ? Dominus dixit ei
ut maledicat mihi. Sed non est maledicus dominus nec
10 delectatur contumeliis. **32.** Vide quam singula diligenter
custodiat. Non accusat dominum quasi auctorem iniuriae,
sed magis laudat quod patiatur nos minora perpeti, ut
maiorum ueniam peccatorum adipiscamur. Ecce uerborum
5 contumelia parricidii leuauit aerumnam, absoluit procacem,
cuius maledicta plus prosint, quae diuina remuneratione do-

30, 19 sustinemus *KB* : sustineamus *Ps.*

30 b. II Sam. 16, 10   ‖   c. Cf. II Tim. 4, 7-8   ‖   d. Job
2, 10   ‖   **31** a. II Sam. 16, 11-12.

parce que le Seigneur lui a dit de me maudire [b]. » Comme il convient bien à son caractère[42] de nous apprendre que les moments où nous subissons des injustices et où nous sommes en péril sont pour nous l'occasion de combattre contre les tentations et de contrôler notre résistance aux épreuves ! Et c'est pourquoi ce n'est pas sans que Dieu en ait décidé, que ce temps nous est ordinairement imposé. Pour l'athlète de qualité, c'est une occasion d'entraînement que les outrages, une occasion d'entraînement que les fatigues et les dangers : ainsi mérite-t-il que lui soit décernée la couronne de justice [c]. Voilà pourquoi il faut supporter avec patience ce qui passe pour être adversité. Enfin c'est la leçon qu'ailleurs te donne la divine Écriture, lorsque le Juste s'écrie : « Si c'est de la main du Seigneur que nous avons reçu le bonheur, pourquoi ne supportons-nous pas le malheur [d] ? »

31. Et le saint prophète a ajouté ces mots : « Voici que le fils qui est sorti de mes entrailles en veut à ma vie. Si ce Benjaminite me maudit, laisse-le me maudire, puisque le Seigneur le lui a ordonné, pour voir mon humilité ; et le Seigneur me paiera de retour pour cette malédiction [a]. » Ô abîme de sagesse ! Ô modèle de patience ! Ô sublime trouvaille pour dévorer un affront ! Tu t'émeus, dit-il, Abessa, qu'un étranger me maudisse, moi qu'un fils recherche pour commettre un parricide ? C'est le Seigneur qui lui a ordonné de me maudire. Mais ce n'est pas le Seigneur lui-même qui maudit, pas plus qu'il ne se complaît dans les outrages. **32.** Voyez quel soin il apporte à prêter attention à tous les détails. Il n'accuse pas le Seigneur comme s'il était l'auteur de l'injure ; il le loue bien plutôt de permettre que nous ayons à supporter des épreuves assez bénignes afin d'obtenir le pardon de péchés bien plus graves. Et voilà qu'il a trouvé dans des paroles injurieuses une atténuation à la peine qui lui vient du parricide ; il a absous un impudent, parce que les malédictions sont plutôt salutaires lorsqu'elles sont récompensées par une divine compensation. Comment

42. Cf. n. 109.

nantur. Qui secum talem non conpenset iniuriam, ut quem
homo laesit eum deus meliorum retributione soletur ?

VII, **33.** Alia quoque eius gesta consideremus. Pugnauit
aduersus progeniem Gigantum, quando unus ex illis uersan-
tem in proelio regem paene percusserat, quos ausus tamen
aduersarius exceptae pretio mortis exsoluit ᵃ. **34.** Hoc quoque
percepto uictae gentis ferocis triumpho iterum in ualle
Titanum bellum inmane suscepitᵃ, non minus aduersus
hostem quam aduersus naturam. Sitiens enim cum uersa-
5 retur in bello, quod biberet non habebat. *Quis mihi potum*,
inquit, *dabit de lacu qui est in Bethleem ad portas* ᵇ ? Erat
autem inter lacum et sanctum Dauid interfusus hostis et
media hostilium saepta castrorum. Praeciderunt tres
uiri multitudinem aduersariorum et inpleuerunt aquam de
10 lacu, qui erat in Bethleem, et optulerunt regi bibendam.
Sed rex noluit bibere et profudit illam domino ᶜ — dignum
etenim tanto munere fuit, ut quae erat uiuidae uirtutis
insigne fieret pietatis sacrificium — dixitque dignam
prophetico spiritu sententiam : *Non contingat mihi hoc*
15 *facere, ne sanguinem uirorum qui abierunt ex animis illorum*
bibam ᵈ. Vicit ergo naturam, ut sitiens non biberet, et
exemplum de se praebuit, quo omnis exercitus tolerare sitim
disceret. Exercuit etiam subditos ad uirtutis officium, ut
etiam per pericula regali imperio uoluntarii milites obtem-
20 perarent. Quod autem noluit bibere declarauit probandorum
militum se imperasse gratia, non sitis uictum necessitate,
prospexisse etiam ne cui regum bibendi usus alienis periculis quaereretur, postremo piae uulnus conscientiae

32, 7 qui *KPBᵃᶜ* : quis *Bᵖᶜ* (s *s.v.*) s.

33 a. Cf. II Sam. 21, 15-22 ‖ **34** a. Cf. II Sam. 23, 13
‖ b. II Sam. 23, 15 ‖ c. Cf. II Sam. 23, 16 ‖ d. II
Sam. 23, 17.

ne voudrait-on pas acheter à son propre dam une pareille injure ?
A celui qu'un homme a blessé, elle vaut que ce soit Dieu même
qui le console en le payant de meilleurs biens[43].

Sa tempérance :
l'eau de Bethléem

VII, **33**. Considérons encore d'autres actions de David. Il combattit contre la race
des Géants. Alors que l'un d'eux était
sur le point de frapper le roi, au cœur de la bataille, cet ennemi
paya, du prix de la mort qu'il subit, une telle tentative [a].
34. Après avoir aussi obtenu ce triomphe sur la nation farouche
qu'il avait vaincue, derechef il entreprit, dans la vallée des
Titans, une guerre effroyable [a] tout autant contre ses ennemis
que contre la nature. Il eut soif, en effet, en pleine bataille
et il n'avait rien à boire. « Qui, s'écria-t-il, me donnera à boire
de la citerne qui est à la porte de Bethléem [b] ? » Or, entre la
citerne et le saint David, se trouvaient l'ennemi, répandu
dans la plaine, et l'obstacle des fortifications du camp adverse.
Trois hommes massacrèrent une multitude d'ennemis, puisèrent
de l'eau dans la citerne de Bethléem et l'apportèrent au roi
pour qu'il en bût. Mais le roi ne voulut pas boire l'eau et la
répandit en hommage au Seigneur [c] — car un tel exploit méritait
bien que cette eau, témoignage d'un bouillant courage, devînt
un excellent sacrifice de piété ; et David prononça dans l'Esprit
prophétique des paroles qui étaient à la hauteur de cette action :
« A Dieu ne plaise que je fasse cela ! Que je boive le sang des
hommes qui sont allés risquer leur vie [d] ! » Il triompha donc
de la nature : il avait soif, mais il ne but pas et donna lui-même
l'exemple, afin que l'armée entière apprît à supporter la soif.
Il exerça aussi ses sujets à la pratique de la vertu de courage,
afin que les soldats, même à travers les dangers, se soumissent
d'eux-mêmes aux ordres de leur roi. Et en refusant de boire,
il montra que c'était pour éprouver ses soldats qu'il avait
donné son ordre, et non parce qu'il avait été vaincu par l'envie
de boire ; c'était aussi par avance veiller à ce qu'aucun roi
ne cherchât à étancher sa soif en exposant les autres aux dangers.
Enfin il montra qu'il écartait ce qui pouvait blesser une cons-

43. Cf. *Exp. Ps. CXVIII*, 7, 23 et 10, 4, et, pour la leçon morale, *De off.*,
I, 6, 21 et 48, 235 ; *Expl. Ps. XII*, 37, 46 et 38, 31.

deprecatum, eo quod aqua tot uirorum quaesita sanguine
25 suauitatem bibendi habere non posset, quae propositae mortis horrore constaret.

35. Quod si altius uelis spectare et introspicere mysterium,
sitiebat Dauid non aquam de lacu, qui est in Bethleem,
sed oriundum ex uirgine Christum in spiritu praeuidebat.
Volebat ergo bibere non aquam fluminis, sed potum gratiae
5 spiritalis, hoc est : non aquarum sitiebat elementum, sed
sanguinem Christi. Denique non bibit oblatam aquam,
sed domino fudit significans sitire se Christi sacrificium,
non naturae fluentum, illud sacrificium, in quo esset remissio
peccatorum, illum sitire se fontem [a] aeternum, non qui
10 periculis quaereretur alienis, sed pericula aliena depelleret.

36. Tot igitur operibus tam mirandis unius sanguinem
tectum [a] non credimus ? Merito uox sanguinis Abel iusti
clamat ad deum [b], quia nullis Cain impius bonis operibus
tegebatur, quia parricidalis erat, quia non confitebatur
5 flagitium, sed negabat [c]. Dauid uero occiderat quidem uirum
minime reum, sed occiderat non studio crudelitatis inpulsus,
sed ut obumbraret pudorem, tegeret uerecundiam concupiscentiae. Non audeo dicere quod ui criminis fuerit oppressus — neque enim oppressus est qui sciuit quemadmodum
10 a ruina illa peccati se posset leuare —, dico tamen quod
ui temptationis inflexus sit. Dixerat enim supra : *Proba*

36, 3 clamat *K* : clamabat *PBs*   ‖   deum *K* (cf. *Exp. Ps.*
CXVIII, 19, 44) : dominum *PBs*.

35 a. Cf. Ps. 41, 2-3 ; Jér. 2, 13 ; Jn 7, 37   ‖   **36** a. Cf. Ps.
31, 1   ‖   b. Cf. Gen. 4, 10   ‖   c. Cf. Gen. 4, 9.

44. Cf. *De Iacob*, I, 1, 3, inspiré par le livre IV des *Maccabées*. Pour les
différences entre le récit des *Macc.* et le récit du livre de *Samuel*, cf. A. DUPONT-
SOMMER, *Le quatrième livre des Maccabées*, Paris 1939, p. 98-99.

cience droite, car une eau qu'on s'était procurée au prix du sang de tant de guerriers ne pouvait être agréable à boire, elle qui avait été payée par l'horreur d'un risque mortel[44].

Sens spirituel **35.** Que si l'on veut regarder plus pro-
de cet événement fondément et aller jusqu'au cœur du mystère,
ce n'est pas de l'eau de la citerne qui se trouve à Bethléem que David avait soif : il voyait par avance, dans l'Esprit, le Christ qui devait naître de la Vierge. Il voulait donc boire non pas l'eau d'une source, mais le breuvage de la grâce spirituelle ; je veux dire que ce n'était pas de l'élément des eaux qu'il avait soif, mais du sang du Christ. C'est pourquoi il ne but pas l'eau qu'on lui offrit, mais il la répandit en hommage au Seigneur, marquant par là qu'il avait soif du sacrifice du Christ et non pas du liquide que dispense la nature, qu'il avait soif de ce sacrifice qui apporterait la rémission des péchés ; il avait soif [a] de la source éternelle, non pas de celle que l'on fait chercher au péril des autres, mais de celle qui écarte le péril qui menace les autres.

Son horreur **36.** Mais quoi ? Ne croirons-nous pas que
de la cruauté tant d'actions si admirables recouvrent [a] le
sang versé d'un seul homme ? C'est à bon droit qu'il est dit que la voix du sang du juste Abel crie vers Dieu [b], car aucune bonne œuvre ne cachait l'impie Caïn : il était un fratricide, et il n'avouait pas son acte infâme, mais il le niait [c]. David avait certes tué un homme qui n'était nullement coupable, mais il l'avait tué non pas par goût de la cruauté, mais pour voiler son opprobre, pour cacher la honte attachée à sa concupiscence. Je n'ose pas dire qu'il ait été écrasé par le poids de son crime — il ne l'a pas été, lui qui a su comment il pouvait se relever de sa chute et de son péché —, mais je dis que le poids de l'épreuve l'a courbé. Car il avait déclaré auparavant[45] :

45. La faute de David conséquence de son excès de confiance en soi : cf. plus haut § 8 et la note correspondante. On retrouve dans Origène, *In Ez. Hom.*, IX, 5, à propos de *II Cor.* 12, 7, les mêmes textes et la même idée. On remarquera ici le mot *supra*, employé à propos du psaume 25, 2. Ce terme suppose qu'Ambroise ou sa source se situent dans la perspective d'un commentaire du psaume 50 (cf. § 80).

me, domine, et tempta me, ure renes meos et cor meum [d],
et alibi : *Ego autem dixi in mea abundantia : non mouebor*
in aeternum [e], et : *igne me examinasti, et non est inuenta in*
15 *me iniquitas* [f]. Voluit eum subiacere dominus temptationi,
ne supra hominem sibi aliquid adrogaret ; nam *uirtus*
in infirmitate consummatur [g]. Neque enim cruento fecit
affectu : nihil minus sancto prophetae adscribi potest,
qui etiam uita decedens suprema uoce conuenit Solo-
20 monem filium, ut innocentem sanguinem a se tolleret, quem
fuderat dux eius exercitus Ioab [h], quando Abenner, cum
de adeunda societate tractaret, dux licet aduersarii agmi-
nis insidiis adpetitus occubuit [i]. Quem fleuit et post lectum eius ambulans depositis infulis potestatis exsequia-
25 rum iusta curauit [j]. Quo facto docuit etiam aduersariis
fidem promissam esse seruandam, honorandam quoque
et in hoste uirtutem. Nonne tam mitis suae hereditate
pietatis etiam huius naeuum detersit erroris ?

37. Quam praeclarum autem quod tribus sibi oblatis
condicionibus, quam uellet eligeret, quando numerato
populo contraxit offensam : cum propositum esset utrum
triennio famem super terram fieri uellet aut tribus
5 mensibus fugeret a facie inimicorum suorum persequentium
se aut triduo mortem fieri in terra [a], tertium elegit, quod
domini mallet se quam hominum committere potestati ;
dominus enim cito miseratus ignosceret. Itaque sic ait :

36, 22 adeunda *KB* : eunda *P*   ineunda *s*   ‖   23 lectum *K*
Schenkl : luctum *PB*   ‖   **37,** 5 fugeret *KPB* : fugere *s*   ‖
6 tertium *s* : *om. KPB.*

36 d. Ps. 25, 2   ‖   e. Ps. 29, 7   ‖   f. Ps. 16, 3 (LXX)   ‖
g. II Cor. 12, 9   ‖   h. Cf. III Rois 2, 5-6   ‖   i. Cf. II
Sam. 3, 27-28   ‖   j. Cf. II Sam. 3, 31   ‖   **37** a. Cf. II Sam.
24, 10-13 ; I Chr. 21, 7-12.

« Éprouve-moi, Seigneur, sonde-moi ; brûle mes reins et mon
cœur [d] », et ailleurs : « Pour moi, j'ai déclaré dans l'excès de
ma confiance : on ne m'ébranlera jamais [e] », et encore : « Tu
m'as éprouvé par le feu et tu n'as pas trouvé d'iniquité en
moi [f]. » Le Seigneur a voulu le mettre à l'épreuve, pour qu'il
ne se crût pas au-dessus de l'humanité ; car « c'est dans la
faiblesse que la force trouve son point de perfection [g] ». Et
il n'a pas commis son crime par goût du sang ; c'est la dernière
des accusations que l'on puisse porter contre le saint prophète,
lui dont les paroles ultimes, au moment même où il quittait
la vie[46], furent pour recommander à son fils Salomon de le
laver du sang innocent répandu par Joab, chef de son armée [h],
lorsque, au cours de pourparlers en vue d'un traité d'alliance,
Abner, pourtant chef de l'armée ennemie, succomba aux embûches qu'on lui tendit [i]. David l'avait pleuré et, marchant
derrière la litière, après avoir rejeté les insignes de sa puissance,
il voulut qu'on rendît à Abner les honneurs funèbres qui lui
étaient dus [j]. Ce faisant, il montra qu'on devait garder la
parole donnée, même à un adversaire, et que le courage devait
être honoré jusque chez un ennemi. Est-ce qu'en léguant ainsi
son sentiment si délicat de la justice, il n'a pas aussi lavé le
déshonneur de l'égarement dont nous parlons ?

Sa confiance en Dieu   37. D'autre part, qu'il est magni-
fique ce passage de sa vie où il reçut
l'ordre de choisir la condition qu'il voudrait parmi les trois
qui lui étaient imposées, après qu'il eut commis une faute
en dénombrant son peuple ! Comme il lui avait été proposé,
ou bien qu'il voulût qu'il y ait pendant trois ans une famine
dans le pays, ou bien qu'il eût à fuir pendant trois mois devant
ses ennemis lancés à sa poursuite, ou bien qu'il y ait pendant
trois jours la mort dans le pays [a], David choisit la troisième
proposition, car il aimait mieux se remettre à la puissance du
Seigneur qu'à celle des hommes. Le Seigneur, en effet, aurait
vite pitié et pardonnerait. C'est pourquoi il prononça ces paroles :

---

46. Cf. *De off.*, II, 7, 33. *Innocentem sanguinem* vise peut-être la faute de
Théodose.

Angustiae mihi sunt ualde in his tribus, sed magis incidam
10 *in manum domini, quoniam magna est misericordia illius*
ualde, quam in manus hominum incidam [b]. Hac humilitate
prudentia mansuetudine fecit, ut uerbis scripturae utar,
habere dominum commotionis propriae paenitentiam. Denique sic scriptum est quia *paenitentiam habuit dominus*
15 *super malitiam* [c].

38. Quam uero etiam illud admirabile, quod angelo
ferienti plebem se obtulit dicens : *Grex iste quid fecit ?*
Fiat manus tua in me et in domum patris mei [a]. Quo
facto statim dignus sacrificio iudicatus est [b], qui abso-
5 lutione aestimabatur indignus. Nec mirum si tali sua obla-
tione pro populo peccati sui adeptus est ueniam, cum
Moyses offerendo se domino pro plebis errore etiam plebis
peccata deleuerit [c].

39. Texit igitur peccata sua an non ? Sed quis hoc
neget, cum hic ipse docuerit propheta quod remittantur
iniquitates, tegantur peccata, non inputentur a domino [a] ?
Peccatum remissum sibi ipse docuit, sicut scriptum est :
5 *Delictum meum agnosco et iniustitiam meam non operui.*
Dixi : pronuntiabo aduersum me iniustitiam meam domino,
et tu dimisisti inpietatem cordis mei [b]. Si dixit : *Pronun-*
tiabo, et ueniam meruit antequam pronuntiaret, quanto
magis, ubi de se pronuntiauit dicens : *Iniquitatem meam*
10 *ego agnosco* [c], remissum est ei omne peccatum. Licet spe-
cialiter de hoc et Nathan propheta responderit : *Et*
dominus transduxit peccatum tuum [d].

37, 10 illius *B* (*cf. Exp. Ps. CXVIII*, 14, 22 *et Expl. Ps. XII*, 37, 14) :
eius *Ps*   domini *K*   ‖   13 commotionis propriae *KPB* : propriae commotionis *s*   ‖   **39,** 12 transduxit *P* : traduxit *Bs*   *om. K.*

37 b. II Sam. 24, 14 ; I Chr. 21, 13 (LXX)   ‖   c. II Sam. 24, 16 ;
I Chr. 21, 15   ‖   **38** a. II Sam. 24, 17 ; I Chr. 21, 17   ‖   b.
Cf. II Sam. 24, 25 ; I Chr. 21, 26   ‖   c. Cf. Ex. 32, 11-14.31-32 ;
Deut. 9, 18-19 ; Ps. 105, 23   ‖   **39** a. Cf. Ps. 31, 1-2   ‖
b. Ps. 31, 5   ‖   c. Ps. 50, 5   ‖   d. II Sam. 12, 13.

« Je suis dans une grande anxiété à cause de ces trois proposi-
tions ; mais plutôt tomber entre les mains du Seigneur, car
grande est sa miséricorde, que de tomber entre les mains des
hommes [b]. » Cette humilité, cette sagesse, cette douceur[47] furent
cause, pour user des termes de l'Écriture, que le Seigneur se
repentit de sa propre colère. Car il est écrit ensuite : « Le Seigneur
s'est repenti de ce mal [c]. »

Son amour de son peuple   38. Et comme il est admirable,
ce trait encore : à l'Ange qui frappait
le peuple, David se présenta et dit : « Ce troupeau, qu'a-t-il
fait ? Que ta main s'appesantisse sur moi et sur la maison de
mon père [a]. » Par cette attitude, il fut sur le champ jugé digne
d'offrir un sacrifice [b], l'homme qui était regardé comme indigne
d'absolution. Il n'est d'ailleurs pas étonnant qu'en s'offrant
ainsi pour son peuple David ait obtenu le pardon de son péché,
puisque Moïse en s'offrant au Seigneur pour racheter la faute
du peuple, effaça lui aussi les péchés du peuple [c].

David a donc couvert   39. A-t-il donc couvert ses péchés
son péché   oui ou non ? Et qui oserait le nier
quand notre prophète en personne
enseigne que les iniquités sont remises, que les péchés sont
couverts et qu'ils ne sont pas portés au compte du pécheur
par le Seigneur [a] ? David a lui-même enseigné que son péché
avait été remis, ainsi qu'il est écrit : « Je reconnais ma faute
et je n'ai pas caché mon iniquité. J'ai dit : je confesserai contre
moi au Seigneur mon iniquité et voici que tu as pardonné,
toi, à l'impiété de mon cœur [b]. » S'il a dit : « Je confesserai »,
et qu'il ait mérité le pardon avant de faire cette confession,
à plus forte raison quand il s'est accusé lui-même en disant :
« Je reconnais mon iniquité [c] », tout péché lui a-t-il été remis.
Il est possible aussi qu'au sujet de la faute dont nous parlons
Nathan le prophète ait donné une réponse d'une manière
particulière en disant : « Le Seigneur aussi a fait disparaître
ton péché [d]. »

47. Cf. *Exp. Ps. CXVIII*, 14, 22 ; *De paenit.*, II, 6, 50 ; **Lettre** 51, 8 (*Ad
Theodosium*).

40. Ergo et remissionem meruit iniquitatis et texit caritate atque operuit peccata sua et texit [a] operibus bonis. Nec inputatum est ei peccatum, quia non fuit in eo dolus [b] malitiae, sed lapsus erroris. Deinde quia non
5 fuit inprobitatis aestus, sed umbra mysterii. Et tamen confessus est delictum suum, agnouit iniquitatem, uidit lauacrum et uidit et credidit [c]. Dilexit multum [d], ut nimia caritate tegere quemuis posset errorem.

VIII, **41.** Sed iam se ipse defendat ; nam quinquagensimum psalmum ad eam scripsit historiam [a]. Et cum priorum gestorum suorum historiam subiecerit, ut de proditione Doec Syri, cuius est titulus in psalmo quinquagensimo
5 primo [b], et Ziphaeorum, quae conprehendi titulo uidetur psalmi quinquagensimi tertii [c], istam quae posterior est

---

40 a. Cf. Ps. 31, 1 ‖ b. Cf. Ps. 32, 2 ‖ c. Cf. Jn 20, 8 ‖
d. Cf. Lc 7, 47 ‖ 41 a. Cf. Ps. 50, 2 ‖ b. Cf. Ps. 51, 2 ‖
c. Cf. Ps. 53, 2.

---

48. Didyme, *Commentaire sur les Psaumes*, § 533 Mühlenberg : « Ce n'est pas sans raison que le présent psaume est intitulé *cinquantième*. En effet ce nombre est en harmonie avec la miséricorde et le pardon. Car si l'Esprit qui en est l'auteur avait voulu être fidèle à la succession des événements historiques, il aurait placé avant ce psaume le psaume 51 et le psaume 53 et ceux qui suivent. Car *le psaume 51 a un titre qui a pour contenu la trahison de Doec le Syrien*. Or cette histoire se situe *avant le règne de David* et *le titre du psaume 53 a pour contenu la trahison des Ziphéens* venant dire à Saül :

40. Ainsi donc il a mérité la rémission de son iniquité, il a par son amour caché et couvert ses péchés, il les a cachés ᵃ par ses bonnes œuvres. Son péché n'a pas été porté à son compte, car il n'y a pas eu en lui de ruse ᵇ due à la méchanceté, mais un faux pas dû à l'égarement. Et puis, il n'y a pas eu dans sa faute la chaleur brûlante de la perversité, mais au contraire l'ombre d'un mystère. Et pourtant il a avoué sa faute, il a reconnu son iniquité, il a vu le bain purificateur, il a vu et il a cru ᶜ. Il a beaucoup aimé ᵈ, en sorte que par l'excès de son amour, il a été capable de recouvrir ses égarements, quels qu'ils fussent.

II. PLAIDOYER DE DAVID LUI-MEME :
LE PSAUME MISERERE

1. Exorde sur la signification symbolique du nombre cinquante

Discordance entre l'ordre numérique et l'ordre chronologique   VIII, **41.** Mais maintenant, que David présente lui-même sa défense. Car il a écrit[48] le psaume 50 en pensant à cette histoire ᵃ. Et, étant donné qu'il a raconté, dans les psaumes qui viennent après celui-ci, des événements qui se sont passés antérieurement à ce qui nous occupe — la trahison, par exemple, de Doec le Syrien ᵇ, à laquelle se rapporte le titre du psaume 51 et celle des Ziphéens ᶜ qui, manifestement, est contenue dans le titre du psaume 53 —, il a donc placé avant le récit de ces faits

---

' Est-ce que David n'est pas caché parmi nous ? ' Car cette histoire s'est passée *avant que David n'assumât la royauté.* Au contraire, *l'union avec Bersabée a eu lieu alors que David régnait déjà.* » Ces remarques se situent dans la tradition exégétique d'Origène : cf. G. MERCATI, *Osservazioni a proemi del Psalterio di Origene...* (*Studi e testi* 142), Rome 1948, p. 149, n. 1. Origène, Didyme et Ambroise parlent de Doec le Syrien, comme dans *I Sam.* 21, 7, et non de Doec l'Édomite, comme dans le titre du psaume 51. Voir également HILAIRE, *In Psalmos*, prol. 9-10 (*PL* 9, col. 238) et *Tract. in Ps.* 51 (*PL* 9, col. 309). Voir aussi R. DEVREESSE, *Les anciens commentateurs grecs des Psaumes*, p. 4.

praemisit historiam, cum Doec [d] ante prodiderit uel
Ziphaei [e] quam regnum Dauid propheta susciperet, quandoquidem regem Saul fugiens adhuc per diuersa secreta
10 exul errabat, Bersabee [f] autem iam cum regnaret accepit.

42. Cur ergo secundum gestorum ordinem psalmorum
quoque ordo non quadrat ? Quia non tam ordinem ordini
quam mysterium gestis uoluit conuenire ideoque numerum
remissionis aptare huic uoluit historiae. Quinquagensimus
5 enim numerus remissionis est numerus, sicut in euangelio
dominus ipse nos docuit dicens : *Duo debitores erant cuidam
faeneratori. Vnus debebat denarios quingentos, alius quinquaginta. Non habentibus illis unde redderent donauit utrisque.
Quis ergo eum plus diligit* [a] ?

10 Et in lege habes quia iubeleus dicitur numerus quinquaginta annorum recursus celebrabilis admodum, quo debita
uacuantur, confirmantur Hebraeorum libertates, possessio-
num refusiones [b].

Hunc numerum laeti celebramus post domini passionem
15 remisso culpae totius debito chirographoque [c] uacuato

---

41 d. Cf. I Sam. 21, 8 ; 22, 9-10.22 ‖ e. Cf. I Sam. 23, 19-28
‖ f. Cf. Ps. 50, 2 ‖ 42 a. Lc 7, 41-42 ‖ b. Cf. Lév.
25, 10-11 ; Deut. 15, 2 ‖ c. Cf. Col. 2, 14.

49. DIDYME, *Commentaire sur les Psaumes*, § 533, Mühlenberg : « Si donc
l'on avait été fidèle à la succession historique des événements, le psaume 50
n'aurait pas dû ne pas être placé après ceux-ci (les psaumes 51 et 53). Mais
parce que le *nombre 50 a un rapport avec la miséricorde*, le Sauveur, dans son
enseignement sur la rémission des péchés, a fait cette parabole (*Lc* 7, 41) des
débiteurs qui avaient des dettes de 50 et de 500 deniers : *rémission leur fut faite
à tous deux de leur dette*, parce qu'ils étaient débiteurs de ' 50 ' et d'un nombre
apparenté : celui-ci est le nombre 500. »

celui de notre histoire présente, bien qu'elle leur soit postérieure :
car Doec [d] ou les Ziphéens [e] avaient trahi avant que le prophète
David assumât la royauté, puisque, fuyant devant le roi Saül,
il errait encore en banni, de retraite en retraite. Or il prit Bersabée [f] alors qu'il régnait déjà.

Le nombre cinquante : **42.** Pourquoi donc l'ordre des psaumes
nombre du pardon ne concorde-t-il pas aussi avec l'ordre
des événements ? Parce que ce n'est
pas tant la concordance de ces deux ordres qu'il a voulue que
la concordance du mystère et des événements. Et c'est pourquoi
il a voulu faire correspondre[49] le nombre du pardon à ce récit.
Le nombre cinquante, en effet, est le nombre du pardon, selon
ce que le Seigneur lui-même nous a enseigné dans l'Évangile
en disant : « Deux débiteurs avaient même créancier ; l'un lui
devait cinq cents deniers, l'autre, cinquante ; comme ils n'avaient
pas de quoi le rembourser, il leur fit à tous deux remise de leur
dette. Quel est donc celui qui a le plus d'amour pour lui [a] ? »

Nombre jubilaire Et nous voyons dans la Loi qu'est dit
nombre « jubilaire[50] » le retour tout à fait
solennel de cinquante années, où les dettes sont abolies, où
sont confirmées les libertés des Hébreux, où les biens sont
restitués [b].

Nombre de la Pentecôte C'est aussi ce nombre que nous
célébrons dans l'allégresse[51] après
la passion du Seigneur : la dette de toutes nos fautes nous
est remise, l'arrêt signé contre nous [c] est annulé, nous sommes

50. DIDYME, *Commentaire sur les Psaumes*, § 533 Mühlenberg : « D'autre
part, on appelle ' jubilaire ', chez les Hébreux *l'année que l'on célèbre tous
les 50 ans, où les dettes sont abolies, où sont confirmées les libertés des Hébreux,
où les biens sont restitués* (*Lév.* 25, 10-11 ; *Deut.* 15, 2). »
51. DIDYME, *Commentaire sur les Psaumes*, § 533 Mühlenberg : « Assurément, après que l'agneau de Dieu a été immolé pour la Pâque, lui qui détruit
le péché du monde, lui qui est ressuscité des morts, lui qui apporte *la rémission
des péchés*, nous le peuple, pendant 50 jours, nous consacrons notre temps
à la joie spirituelle, parce que nous considérons le cinquantième jour, comme
celui de l'effusion de *l'Esprit Saint.* »

ab omni nexu liberi et suscipimus aduenientem in nos
gratiam spiritus sancti [d] : die pentecostes uacant ieiunia,
laus dicitur deo, alleluia cantatur.

Denique et puellae pater illius, quae per uim concubitus
20 nulli desponsata pertulerit, quinquaginta didragma argentea
accipit, ipsa autem in coniugio permanebit [e]. Hoc ergo
numero etiam uitia uertuntur in gratiam. Magnus igitur
psalmus, quo docemur quemadmodum agenda paenitentia
sit.

43. *Miserere*, inquit, *mei domine, secundum magnam*
misericordiam tuam. Et secundum multitudinem mise-
rationum tuarum dele iniquitatem meam. In multum laua
me ab iniustitia mea et a delicto meo munda me. Quoniam
5 *iniquitatem meam ego agnosco et delictum meum contra*
me est semper. Tibi soli peccaui et malum coram te feci, ut
iustificeris in sermonibus tuis et uincas, cum iudicaris. Ecce
enim in iniquitatibus conceptus sum, et in delictis peperit
me mater mea [a].

10 Quis nostrum etiamsi confiteatur delictum suum, non
perstringendum potius quam repetendum putet ? Quis
secundo repetat aut tertio ? Vide quot uersibus tantus

42, 17 uacant ieiunia *KRB''G* : uacante ieiunio *Bs*   ‖   43, 1
inquit mei *KB''G* : mei inquit *BRs*.

42 d. Cf. Act. 2, 2   ‖   e. Cf. Deut. 22, 28-29   ‖   43 a. Ps. 50, 3-7.

52. Il faut comprendre *die* comme désignant toute la période entre Pâques et
la Pentecôte (ou corriger en *dies* ou *diebus*). Sur la solennité de cette période,
cf. *Exp. Eu. sec. Lucam*, VIII, 25 : « Ergo per hos quinquaginta dies *ieiunium*
nescit ecclesia sicut dominica, qua dominus resurrexit et sunt omnes dies
tamquam dominica. » Nous avons ici un témoignage important d'Ambroise
concernant la liaison entre les 50 jours après Pâques et le chant de l'Alleluia.
Laus deo peut être une acclamation liturgique spéciale à cette période. Cette

libres de tout lien et nous recevons la grâce de l'Esprit Saint
qui vient en nous [d]. Au temps de la Pentecôte[52], les jeûnes
cessent, on dit : " Louange à Dieu ", on chante l'Alleluia.

**Nombre
de la réparation
d'honneur**   Enfin, c'est cinquante drachmes d'argent
que reçoit le père de la jeune fille qui, n'étant
pas fiancée, a été contrainte par la force
à partager le lit d'un homme. Quant à la
jeune fille, elle demeurera l'épouse de cet homme [e]. Ce nombre
donc a la vertu de changer les vices en grâce. Comme il est
beau, dès lors, le psaume qui nous enseigne de quelle manière
il faut faire pénitence[53] !

2. Commentaire du psaume

A. La confession de David

43. « Aie pitié, dit-il, de moi-même, ô Seigneur, selon ta
grande miséricorde. Et selon la multitude de tes pardons,
efface mon iniquité. Lave-moi abondamment de mon injustice
et purifie-moi de ma faute. Car, mon iniquité je la reconnais ;
et ma faute est toujours contre moi. Contre toi seul j'ai péché
et devant toi j'ai fait le mal. Aussi es-tu justifié dans tes paroles
et triomphes-tu à l'heure du jugement. Vois : c'est dans les
iniquités que j'ai été conçu et c'est dans les péchés que ma
mère m'a mis au monde [a]. »

**Verset 3
1º : Une multitude
de pardons
pour un unique péché**   Qui d'entre nous, même s'il confesse
sa faute, ne pense pas qu'il doit
passer rapidement sur cette faute
plutôt que d'y revenir ? Qui est
homme à y revenir deux ou trois
fois ? Mais vois combien de versets un si grand prophète fait

mention de la Pentecôte, empruntée à Didyme, ne signifie donc pas que le
sermon a été prononcé le jour de la Pentecôte.

53. DIDYME, *Commentaire sur les Psaumes*, § 533 Mühlenberg : « C'est
pourquoi il est logique que le *psaume* qui se rapporte à la *pénitence* de David
soit placé le cinquantième. »

propheta peccatum suum resonet, quam nullus uersus
sine confessione delicti sit. Congessit omnia simul ini-
15 quitates suas et iniustitiam personando iungens delicta
peccatis atque ea saepe repetendo merito magnam misericordiam poscit, nec solum magnam misericordiam, sed
etiam multitudinem miserationum. Quod ergo peccatum
talis non diluat deploratio, quam culpam precatio huiusmodi
20 non emundet ? Ille pro uno peccato miserationum multitudinem deprecatur, nos pro pluribus peccatis uix semel
eius misericordiam credimus obsecrandam.

Deinde legimus quia in uirtute magna et bracchio suo
excelso populum suum de terra Aegypti liberauit [b], quando
25 transduxit eum per mare rubrum [c], in quo fuit figura
baptismatis [d]. Si ergo uirtus magna in figura fuit sacra-
mentorum, quanto magis in ueritate eorum magna misericordia est. Recte quoque illic poscitur miserationum
multitudo, ubi multitudo peccantium est.

44. *In multum laua me ab iniustitia mea et a delicto
meo munda me* [a]. Non tam saepius quam plenius lauari petit,
ut concretam sordem possit eluere. Nouerat secundum
legem plane quaedam mundandi esse subsidia, sed nullum
5 plenum atque perfectum [b]. Ad illud ergo perfectum tota
intentione festinat, quo iustitia omnis impletur [c], quod
est baptismatis sacramentum, sicut ipse docet dominus Iesus. Nam cum uenisset ad Iohannem, ait Baptista :

43, 23 uirtute magna *KBRB" G* : uirtute sua magna *s*   ‖   **44,** 3
concretam *K* : conceptam *BRB" Gs*   ‖   4 plane quaedam *K* : plena
quaedam *BB" G*   plena quidem *R*   pleraque quidem *Schenkl*.

43 b. Cf. IV Rois 17, 36   ‖   c. Cf. Ex. 14, 15-31   ‖   d. Cf. I
Cor. 10, 1-2   ‖   44 a. Ps. 50, 4   ‖   b. Cf. Hébr. 9, 1 - 10, 18
‖   c. Cf. Matth. 3,15.

retentir de son péché ; pas un verset qui ne contienne la confession de sa faute. Il a tout accumulé à la fois, clamant ses iniquités et son injustice, joignant les fautes aux péchés. Et comme il y revient à maintes reprises, il est bien en droit de demander grande miséricorde — que dis-je grande miséricorde : une multitude de pardons. Quel est donc le péché que ne laveraient pas de tels pleurs, quelle faute ne purifierait pas une supplication de cette sorte ? David, en suppliant, demande pour un péché unique une multitude de pardons et nous, pour plus d'un péché, à peine estimons-nous que nous devons supplier une fois que Dieu nous fasse miséricorde.

2° : Une multitude de pécheurs pardonnés grâce à un unique baptême

De plus, nous lisons qu'en grande puissance et à bras étendu, Dieu libéra son peuple de la terre d'Égypte [b] quand il lui fit traverser la mer Rouge [c], ce qui fut une figure du baptême [d]. Or si la grande puissance servit de figure pour les sacrements, à combien plus forte raison la grande miséricorde se manifeste-t-elle dans leur réalité ! C'est donc avec raison qu'est ici demandée aussi une multitude de pardons, là où il y a une multitude de pécheurs.

Verset 4
1° : Le baptême détruit l'injustice

44. « Lave-moi abondamment de mon injustice et purifie-moi de ma faute [a]. » Il ne demande pas tant d'être lavé souvent que de l'être pleinement, afin que puisse être effacée la souillure qui s'est accumulée. Il savait que, selon la Loi, il existait assurément certains moyens de se purifier, mais qu'il n'y en avait pas de complet ni de parfait [b]. Aussi est-ce vers le moyen de purification qui est complet et parfait que, de toute sa volonté, il se hâte, vers le moyen grâce auquel toute justice est accomplie [c] : le sacrement de baptême[54], comme l'enseigne le Seigneur Jésus en personne. Car lorsqu'il vint auprès de Jean, le Baptiste lui dit : « C'est

---

54. Cf. *De sacram.*, I, 5, 15 ; *Exp. Eu. sec. Lucam*, V, 21.

Ego a te debeo baptizari, et tu uenis ad me [d] ? Respon-
10   dit dominus : *Sine modo* ; *sic enim decet nos implere omnem
iustitiam* [e]. Sed posteaquam baptizatus est Christus et
spiritus sanctus super eum tamquam columba descendit et pater filium signauit e caelo [f], iustitia omnis impleta
est. Ideo propheta dicit : *In multum laua me ab iniustitia
15   mea* [g] ; grandis enim squalor et macula non exiguo, sed
multo aufertur lauacro.

45. Quod si quis aliter accipere uult, potest ita suum
formare intellectum. Mundat sermo diuinus, mundat
nostra confessio, ille dum auditur, ista dum promitur ;
mundat bona cogitatio, mundat honesta operatio, bonae
5   quoque usus conuersationis [a]. His mundatus unusquisque
facilius haurit et tamquam in se rapit splendorem gratiae
spiritalis. Denique non una infusione uelleris statim pre-
tiosus fucus inradiat, sed primum suco ignobili uellus infi-
citur, deinde aliis atque aliis sucis naturalis eius species
10   frequenter eluitur et diuerso saepius colore mutatur ac
sic postea uelut plenioris lauacri adhibetur infectio, ut
purpurae uerior atque perfectior fulgor inrutilet. Sicut
igitur muricum plurimorum in purpurae infectione
ita in lauacro regenerationis [b] miserationum est mul-

45, 13 plurimorum *KRB"G* : plurimum *Bs.*

44 d. Matth. 3, 14   ‖   e. Matth. 3, 15   ‖   f. Cf. Matth. 3, 16-17
  ‖   g. Ps. 50, 4   ‖   **45** a. Cf. Jac. 3, 13   ‖   b. Cf. Tite 3, 5.

55. DIDYME, *Commentaire sur les Psaumes*, § 535 Mühlenberg : « De même
que les teintures résistantes ne s'effacent pas au premier bain, mais seulement
après plusieurs lavages, de même aussi, les *grandes injustices* ne *s'effacent*
que grâce aux *nombreuses miséricordes* de Dieu. » Ambroise a dédoublé
l'image utilisée par Didyme. D'une part, il retient l'idée de la difficulté à
effacer une couleur qui imprègne un tissu : pour enlever une tache énorme,
il faut une multitude de bains. D'autre part, il reprend au § 45 l'image de

moi qui dois recevoir de toi le baptême et c'est toi qui viens vers moi [d] ! » Le Seigneur répondit : « Laisse, pour l'heure ; c'est ainsi en effet qu'il sied que nous réalisions la justice totale [e]. » Et après que le Christ eut été baptisé, que l'Esprit Saint fut descendu au-dessus de lui sous la forme d'une colombe, et que, du ciel, le Père eut marqué son Fils de son sceau [f], la justice totale fut réalisée. C'est pourquoi le prophète dit : « Lave-moi abondamment de mon injustice [g]. » Quand en effet énormes sont la souillure et la tache, ce n'est pas un bain rapide, mais un bain répété qui les enlève[55].

2º : La répétition des bonnes œuvres détruit l'état d'injustice

45. Que si quelqu'un veut comprendre le texte autrement, il peut former ainsi son exégèse. La parole divine purifie, notre confession purifie, la première quand on l'écoute, la seconde quand on l'articule ; une bonne pensée purifie, une belle action purifie, comme aussi la pratique d'une bonne conduite [a]. Purifié par tout cela, chacun a plus de facilité pour s'imbiber de la splendeur de la grâce spirituelle et, si j'ose dire, s'emparer de son éclat pour se l'approprier. C'est ainsi qu'il ne suffit pas d'humecter une seule fois la laine pour qu'aussitôt y brille de tout son éclat la pourpre précieuse : on l'imprègne d'abord d'une vile teinture ; puis, en utilisant chaque fois des teintures différentes, la couleur native de la laine est fréquemment effacée et elle est souvent changée par l'application de nuances différentes ; et c'est ainsi qu'après cela, on applique la teinture d'un bain pour ainsi dire plus complet, afin que flamboie enfin, plus vraie et plus parfaite, la splendeur de la pourpre[56]. Donc, comme pour teindre en pourpre on multiplie les bains de murex, de même, pour le bain qui régénère [b], est nécessaire une multitude de pardons

la teinture et de la répétition, mais cette fois, ce sont les bonnes œuvres qui deviennent les bains répétés grâce auxquels on s'imbibe de la splendeur de la grâce spirituelle et l'on efface l'iniquité.

56. Cf. note précédente. La comparaison empruntée à la teinture se retrouve chez PLATON, *Resp.* 429 d - 430 a, CICÉRON, *Hortensius*, 56, p. 118 Ruch, SÉNÈQUE, *Epist.*, 71, 31 ; TERTULLIEN, *De pudic.*, 8, 1. Sur le procédé des teinturiers, cf. H. BLÜMNER, *Technologie und Terminologie der Gewerbe und Künste bei Griechen und Römern*, I, 2ᵉ éd., Leipzig 1912, p. 225-248.

15 titudo caelestium necessaria, ut iniquitas deleatur [c]. Itaque
qui in multum lauatur ab iniustitia, mundatur a delicto [d]
et peccandi quandam inolitam studiis ac moribus deponit
habitudinem et obliuiscitur qualitatem. Et bene lauatur
ab iniustitia uel iniquitate, quae maior est, mundatur
20 a delicto [e], quod minus est.

IX, **46.** Ideoque addidit : *Quoniam iniquitatem meam ego*
agnosco et delictum meum contra me est semper [a]. Non
mediocre est, ut agnoscat unusquisque peccatum suum.
Ideoque et supra ait : *Lapsus quis intelleget* [b] ? Id est
5 quis est tantus ut intellegat ? Quo modo illud : *Quis habitabit*
in tabernaculo tuo [c], aut : *Quis ascendet in montem do-*
mini [d] ? Non utique nullus, sed rarus ; qui enim potest
agnoscere potest declinare, potest quid sequatur eligere.
Plerique in suis lapsibus gloriantur et putant ea laudi esse
10 quae crimini sunt, si alienum coinquinauit torum et pudicae
feminae expugnauit affectum, si uiduae propositum aliqua
fraude mutauit : alius necem hominis, latrocinii insidias
et rapto uiuere putat esse uirtuti : nonnulli circumuenire
ac fallere arbitrantur esse sapientiae. Ex his nullus potest
15 dicere : *Quoniam iniquitatem meam ego agnosco* [e], sed

45, 15 necessaria *K* : *om. BRB"Gs*   ‖   16 a *KRB"G* : et a *Bs*   ‖
19 mundatur *KBRB"G* : emundatur *s*   ‖   **46,** 6 ascendet]
requiescet *K fortasse recte* (*cf. Ps. 14, 1*)   ‖   12 necem *KRB"G* :
nece *Bs*   ‖   insidias *KRB"G* : insidiis *Bs*   ‖   13 uirtuti *K*
(*cf. supra, lin. 9-10*) : uirtutis *RB"Gs*   uirtutes *B*.

45 c. Cf. Ps. 50, 3.   ‖   d. Cf. Ps. 50, 4   ‖   e. Cf. Ps. 50, 4   ‖
46 a. Ps. 50, 5   ‖   b. Ps. 18, 13   ‖   c. Ps. 14, 1   ‖   d.
Ps. 23, 3   ‖   e. Ps. 50, 5.

57. L'opposition biblique entre « injustice » et « péché » est interprétée
par Origène (cf. n. 58) et Ambroise dans la perspective de la théorie stoïcienne
des degrés du mal : le péché n'est qu'un accident passager, l'injustice une
disposition permanente ; cf. I. HADOT, *Seneca und die griechisch-römische*
Tradition der Seelenleitung, Berlin 1969, p. 145, sur la terminologie grecque
et latine concernant cette opposition ; cf. plus bas, §§ 49-50.
58. Première citation du commentaire d'Origène sur le psaume 50 : cf.

célestes, afin que l'iniquité soit effacée [c]. C'est pourquoi celui qui est abondamment lavé de son injustice[57] est purifié[58] de sa faute [d] : il perd cette sorte d'habitude de pécher qui s'était enracinée dans ses désirs et dans ses mœurs et il oublie cette disposition intérieure. Oui, il est bien lavé de son injustice ou de son iniquité — qui est quelque chose de plus grave — et il est purifié de sa faute [e] — qui est quelque chose de moins grave.

Verset 5 a   IX, **46.** Et c'est pourquoi il a ajouté :
Reconnaître sa faute   « Car je reconnais mon iniquité et ma
                       faute est toujours contre moi [a]. » Ce
n'est pas une petite chose que quelqu'un reconnaisse son péché.
C'est pourquoi il avait dit plus haut : « Qui comprendra[59] ses chutes [b] ? » C'est-à-dire : qui est assez grand pour les comprendre ? C'est de la même manière qu'il est dit : « Qui habitera dans ta tente [c] », ou bien : « Qui montera sur la montagne du Seigneur [d] ? » Personne ? Non bien sûr, mais peu d'hommes. Qui en effet est à même de reconnaître ses fautes, est à même de les éviter, à même de choisir la route à suivre. La plupart se glorifient de leurs chutes et estiment que méritent la louange des actions qui méritent le reproche : souiller la couche d'autrui, forcer l'amour d'une honnête femme, par quelque fourberie faire revenir une veuve sur son vœu ; tel autre estime que tuer un homme, tendre les embûches du brigandage, vivre de rapines sont des preuves de courage et quelques-uns croient que circonvenir et tromper sont des marques de sagesse. De tous ces gens-là, aucun ne peut dire : « Car je reconnais mon iniquité [e]. » Mais celui-là le peut qui est capable de souffrir

Introduction, p. 10 et Appendice I, p. 49, où l'on trouvera le texte grec correspondant à la traduction française donnée dans les présentes notes. ORIGÈNE, dans R. CADIOU, *Commentaires inédits des psaumes. Études sur les textes d'Origène contenus dans le manuscrit Vindobonensis 8*, Paris 1938, p. 82 : « De celui qui ne commet plus de faute, la faute est effacée. Car ce n'est pas la même chose que la faute de quelqu'un soit effacée et qu'il soit lavé abondamment de son injustice. *Celui qui est lavé abondamment est purifié de sa faute.* »

59. ORIGÈNE, dans R. CADIOU, *Commentaires inédits...*, p. 82 : « Cela est dit à cause du ' Qui donc comprendra ses chutes ? '. Rare est celui qui dit comme le prophète : ' Je reconnais mon iniquité '. » Même exégèse de « quis », dans *De paenit.*, I, 9, 41, avec les mêmes références.

ille qui potest dolere quod fecerit, condemnare quod deliquerit, quem sua uitia conpungunt. Vnde et propheta
ait : *Quae dicitis in cordibus uestris et in cubilibus uestris
conpungimini* [f]. Plerique equorum cum ceciderint, se
20 iactare consuerunt et quos casus non laeserit iactando
se debilitant et frangunt. Alii, qualis graecorum equorum fertur natura, cum uel in certamine curuli elisi fuerint
uel fortuito ceciderint, nequaquam se mouere consuerunt et quandam tenent quietis et patientiae discipli-
25 nam. His si casus non nocuit, quies prodest ; certe non
acerbatur offensio. Nonne mutis animalibus deteriores
aestimandi qui se in flagitiis suis iactant et putant insigne
esse uirtutis ubi lapsus est criminis ? Ideo quasi muto
dicitur iumento : *Peccasti, quiesce* [g].

47. Vnde pulchre addidit : *Et delictum meum contra
me est semper* [a]. Insipiens enim delectatur erroribus suis et
nouis uetera obumbrando peccatis se existimat adiuuari
ideoque exultat in crimine. At uero sapiens aduersum
5 se iudicat esse delictum suum et tamquam hostiles acies
ita lapsus culparum suarum aduersantium modo sibi arbi-
tratur obsistere. Quidquid personuerit, quidquid increpue-
rit, culpa ei propria semper occurrit : quidquid fuerit
dictum aut lectum in se dictum putat : quidquid intenderit,
10 se notis, se oculis signari putat. Si epuletur, si cogitet,
si oret ac deprecetur, ante oculos eius semper error est
proprius et momentis omnibus culpa pulsat conscientiam

46, 20 iactando (= se iactando)   ‖   21 debilitant *RB''G* : debilitan-
tur *KBs*   ‖   frangunt *KBRB''G* : franguntur *s*   ‖   **47**, 10
notis *RB''G* : nutu *KpcBs*.

46 f. Ps. 4, 5 (LXX)   ‖   g. Gen. 4, 7 (LXX)   ‖   **47** a. Ps.
50, 5.

60. Cf. *Exp. Ps. CXVIII*, 9, 5 (p. 191, 18 - 192, 11 Petschenig) et surtout *Expl. Ps. XII*, 35, 16 (p. 60, 22) qui montre qu'Ambroise construit
ensemble *in cubilibus* et *conpungimini*. Le sens est donc : Repentez-vous
dans l'intimité de vos pensées secrètes.

de ce qu'il a fait, de condamner la faute qu'il a commise et que point le remords de ses vices. D'où ce mot du prophète : « De ce que vous dites dans vos cœurs[60], que le remords vous étreigne sur vos couches [f]. » Habituellement, la plupart des chevaux, quand ils sont tombés, se débattent et ceux que la chute n'a pas blessés, par suite de leur agitation, s'estropient et se brisent les membres. D'autres — tels, nous dit-on, les chevaux de race grecque —, lorsqu'ils ont été renversés dans une course de chars ou sont tombés par hasard, ont été dressés à ne pas bouger du tout et se plient à une véritable discipline de calme et de patience. Pour ceux-là, si leur chute ne leur a fait aucun mal, le calme leur est profitable ; en tout cas, leur mal n'est pas aggravé. Ne doit-on pas juger inférieurs à des animaux muets ceux qui se débattent dans leurs turpitudes et qui pensent qu'il y a marque de mérite là où il n'y a que chute dans le crime ? C'est pourquoi il est dit, comme à l'adresse d'une muette bête de somme : « Tu as péché[61], tiens-toi tranquille [g]. »

Verset 5 b
Les tourments
de la conscience

47. C'est pourquoi il a ajouté d'une manière excellente : « Et ma faute est toujours contre moi [a]. » Car l'insensé fait ses délices de ses égarements et, abritant ses péchés anciens sous de nouveaux péchés, pense que ses forfaits le servent ; c'est pour cela qu'il est transporté de joie au milieu de son crime. Mais le sage, lui, juge que sa faute est contre lui et il estime que, à la manière d'armées ennemies, les fautes dans lesquelles il est tombé se dressent contre lui comme autant d'adversaires. Au moindre son, au moindre bruit, sa propre faute lui revient toujours à l'esprit. Tout ce qui est dit, tout ce qui est lu, il croit que cela s'applique à lui. Quelles que soient ses pensées, c'est lui-même, croit-il, que les signes de tête ou les yeux désignent. Qu'il prenne son repas, qu'il médite, qu'il prie et supplie, il a toujours devant ses yeux son propre égarement[62]. A tout moment sa faute frappe à la porte de sa conscience,

---

61. Cf. *De Cain*, II, 7, 24 ; *De paenit.*, II, 11, 104.
62. ORIGÈNE, dans R. CADIOU, *Commentaires inédits...*, p. 82 : « Celui qui se souvient *de son propre égarement et qui l'a toujours devant les yeux...* »

nec quiescere nec obliuisci sinit. Velut grauis censor exagitat
se terrore perpetuo. Omnia igitur aduersa habet qui ipse
15 sibi displicet, ipse *sui accusator* ᵇ, ipse sui testis est, nec
inuenit quo fugiat qui ipse se perurget et stimulat. Sed
hoc bonae mentis est uulnus sentire peccati. Nam qui
expertes doloris sunt non sentiunt uulneris acerbitatem,
quod est inmedicabilis aegritudinis : qui autem dolore
20 aliquo punguntur sicut doloris sensu non carent ita non
carent etiam sanitatis profectu. Vbi enim doloris sensus
ibi etiam sensus est uitae ; sentire enim uitalis uigoris ac
muneris est. Vnde et ille qui errorem suum non agnoscit
insanit furit desipit, qui autem agnoscit utique resipiscit,
25 non respuit remedia sanitatis, se ipse restringit, paenitet
eum culpae, de ipsa semper cogitat et cogitando se ipse
condemnat ; *iustus* autem *in primordio sermonis accusator
est sui* ᶜ. Qui se accusat iustus est ; qui iustus est sobrius
est, sanus est. Iustus fauere sibi nescit, rigorem iudicii
30 etiam circa se non nouit inflectere, recordationem lapsus
proprii perhorrescit et commissum erubescit errorem,
omnem eius memoriam pauet metuit reformidat, grauem
sibi iudicat, se ipsum arbitrum refugit nec se sibi audet

47, 25 se *KB"* : sed *BRG*   sed se *s*   ‖   32-33 grauem sibi
    KBB"G : greue sibi *R*   grauem se sibi *Schenkl*   ‖   33 se²
    KRB"G : esse *B*   sese *s*.

---

47 b. Cf. Prov. 18, 17 (LXX)   ‖   c. Prov. 18, 17 (LXX).

---

63. Ce texte scripturaire (*Prov*. 18, 17) qui fonde tout ce développement
consacré à la rigueur que la conscience du juste exerce contre elle-même se
retrouve très souvent chez Ambroise, par exemple *De Cain*, II, 7, 24 ; *De
interpell*., I, 6, 20 ; *Expl. Ps. XII*, 35, 8 ; 37, 11 ; 37, 44 et 57 ; *Exp. Ps. CXVIII*,

ne lui permettant ni repos ni oubli. Comme un censeur sévère, il se poursuit lui-même dans un éternel effroi. Il considère donc que tout est contre lui, celui qui se désapprouve lui-même : il est « son propre accusateur [b] », son propre témoin à charge et il ne trouve pas où fuir, lui qui se harcèle et s'aiguillonne lui-même. Mais c'est la marque d'un esprit en bonne santé que de sentir la blessure du péché. Ceux, en effet, qui sont privés du sens de la douleur ne sentent pas, il est vrai, la souffrance d'une blessure, mais c'est là le propre d'une maladie incurable. Au contraire, ceux que point une douleur quelconque, comme ils ne sont pas privés du sentiment de la douleur ne sont pas non plus privés de la possibilité d'une amélioration de santé. En effet, là où il y a conscience de la douleur, il y a aussi la conscience propre à la vie, car sentir est le signe de la force et de la fonction vitale. En conséquence, qui ne reconnaît pas son égarement est hors de sens, il délire, il a perdu l'esprit. Mais celui qui le reconnaît reprend ses sens, ne repousse pas les remèdes qui lui rendront la santé, il se met lui-même un frein, il se repent de sa faute, la médite sans cesse et la méditant se condamne lui-même. « Le juste[63], pour sa part, dès le début de son discours, se fait son propre accusateur [c]. » Qui s'accuse est juste et qui est juste est sage et sain d'esprit. Le juste ne sait pas se favoriser, il ne sait pas faire fléchir, même pour lui-même, la rigueur d'un jugement ; il est pris d'horreur au souvenir de sa propre chute et il rougit de l'égarement dont il s'est rendu coupable ; tout ressouvenir de sa faute, il le craint, il le redoute, il recule de peur devant lui ; il se juge pernicieux pour lui-même[64], se récuse lui-même comme juge et n'ose pas

---

4, 11-12 ; 7, 21-22 ; 9, 14 ; 18, 5 ; *Exp. Eu. sec. Lucam*, V, 55 ; VII, 225 ; X, 88 ; *De paenit.*, II, 7, 53 ; *Lettre* 51, 15 (« qui se accusat cum peccauerit iustus est »). Ce thème est origénien (cf. note précédente) : cf. *De princ.*, II, 10, 4, p. 178, 3 s. Kœtschau : « Cum etiam mens ipsa uel conscientia per diuinam uirtutem omnia in memoriam recipiens, quorum in semet ipsa signa ac formas, cum peccaret, expresserat et singulorum quae uel foede ac turpiter gesserat uel etiam impie commiserat, historiam quamdam scelorum suorum ante oculos uidebit expositam, tunc et ipsa conscientia propriis stimulis agitatur atque compungitur et *sui ipsa efficitur accusatrix et testis*. »

64. Cf. ÉPICTÈTE, *Manuel*, 48 : « Signes du progressant... il se garde de lui-même comme d'un ennemi qui lui tend des pièges. » Chez Origène et Ambroise, il s'agit du sage lui-même et non du progressant.

committere, quod nullum putat sibi esse grauiorem quam
35 eum quem latere non possit, fallere non queat, fugere ac
uitare non reperiat, nisi ut *se sibi abneget et* domini *crucem
tollat* [d].

48. Magna uis obnoxiae conscientiae, magna supplicia.
Timebant Eua et Adam et, cum domini uocem in paradiso
ambulantis audirent, cupiebant se abscondere [a], quos
nemo quaerebat. Cain quoque metuebat, ne omnis eum
5 quicumque inueniret occideret [b]. Ita in se ferebat ipse sententiam, quod dignus esset cui nullus ignosceret. Vnde
bene ait : *Et delictum meum contra me est semper* [c], hoc
est : sine interuallo aliquo recordatio et species ipsa mei
me erroris inpugnat. Considera quomodo nos confundat,
10 cum aliquid delinquimus, quomodo incurset oculos, quomodo
in memoriam semper recurrat. Quem commissi pudet nescit
aliquid postea tale committere, unde similiter erubescat.

49. Praecedit autem iniquitas, peccatum [a] sequitur.
Radix est iniquitas, fructus autem radicis est culpa. Vnde
uidetur iniquitas ad mentis inprobitatem referri, peccatum
ad prolapsionem corporis. Grauior iniquitas tamquam
5 materia peccatorum, leuius peccatum. Denique iniquitas
per lauacrum remittitur, peccatum tegitur bonis factis
et tamquam alis operibus obumbratur. Vnde bene supra
hic ipse ait : *Beati, quorum remissae sunt iniquitates et*

48, 3 ambulantis *Bs* : ambulantes *K*   deambulantis *RB''*   se
ambulantis *G*   ‖   10 delinquimus *KBRB''G* : deliquimus
Bs   ‖   49, 7 alis *Schenkl* : aliis *KBB''G*   malis *R*.

47 d. Matth 16, 24   ‖   48 a. Cf. Gen. 3, 8   ‖   b. Cf. Gen. 4, 14
‖   c. Ps. 50, 5   ‖   49 a. Cf. Ps. 50, 5 ; I Jn 3, 4.

65. CICÉRON, *Pro Milone*, 61 : « *Magna uis est conscientiae*, iudices, et magna
in utramque partem ut neque *timeant* qui nihil commiserint et poenam *semper
ante oculos* uersari putent qui peccarint. » PACATUS, *Paneg. Theod.*, § 44 :
« Ipsa sibi carnifex conscientia est. »

s'en remettre à lui-même ; car il estime que nul ne sera pour lui plus sévère que celui dont il ne saurait se cacher, qu'il ne saurait tromper, qu'il ne saurait fuir et éviter, à moins qu'il «ne se renonce lui-même et ne prenne la croix» du Seigneur[d].

48. Violente est l'âpreté de la conscience coupable[65] et cruels les supplices qu'elle inflige. Ève et Adam étaient remplis de crainte et, entendant la voix du Seigneur qui marchait dans le paradis, ils désiraient se cacher[a], eux que personne ne cherchait[66]. Caïn, lui aussi, redoutait que tout homme qui viendrait à le rencontrer ne le tuât[b] : c'était se condamner soi-même, parce qu'il méritait, pensait-il, que personne ne lui pardonnât. Ainsi juste est la parole : « Et ma faute est toujours contre moi[c] », c'est-à-dire sans relâche le souvenir et la vue même de mon égarement m'assaillent. Vois comme nous sommes plongés dans la confusion quand nous commettons quelque faute, comme celle-ci hante nos regards, comme elle nous revient sans cesse en mémoire. Celui qui a honte de ce qu'il a commis ne peut plus, par la suite, rien commettre de pareil, qui le fasse semblablement rougir[67].

Iniquitas et peccatum **49.** L'iniquité est antérieure, le péché[a] lui est postérieur. L'iniquité, c'est la racine, et la faute est le fruit de la racine[68]. C'est pourquoi il semble que l'iniquité se rapporte à la perversité de l'esprit, le péché à la faiblesse de la chair. L'iniquité est plus grave, en tant qu'elle est le principe des péchés, le péché est moins grave. Par suite, l'iniquité est remise par le bain baptismal, tandis que le péché est couvert par les bonnes actions et les bonnes œuvres le mettent en quelque sorte à l'abri de leurs ailes. Aussi David lui-même dit-il plus haut d'une manière excellente : « Bienheureux ceux dont les iniquités ont été remises

---

66. Cf. *De paenit.*, II, 11, 103 : « Ita grauis culpa est conscientiae ut sine iudice ipsa se puniat et uelare se cupiat et tamen apud deum nuda sit. »

67. DIDYME, *Commentaire sur les Psaumes*, § 537 Mühlenberg : « Celui qui a devant les yeux le péché qu'il a commis une seule fois *ne supporterait plus d'en commettre un autre*. Car c'est en oubliant nos péchés antérieurs que nous en commettons d'autres. »

68. Cf. plus haut, n. 57.

quorum tecta sunt peccata [b]. *Caritas* enim abscondit errorem
10 et *operit multitudinem peccatorum* [c]. Multa quoque caritas
remittit etiam ipsa peccatum, sicut scriptum est de muliere
quae super dominum fudit unguentum : *Remissa sunt
peccata eius multa, quoniam dilexit multum* [d]. **50.** Sunt etiam
qui accipiant priorem uersiculum [a] de lauacro esse, secundum [b] de paenitentia. Qua gratia etiam Petrus, qui ante
fuerat baptizatus, interrogatur, postquam uisus est domi-
5 num negasse [c] : *Simon Iohannis, diligis me* ? Dicit ei :
Vtique tu scis, domine, quia diligo te. Et iterum interrogatur :
Simon Iohannis, diligis me ? Et iterum respondit : *Tu
scis, domine, quia amo te.* Et tertio interrogatur : *Simon
Iohannis, amas me* ? *Et contristatus est, quia dixit ei tertio* :
10 *Amas me* ? *et dicit ei* : *Domine, omnia tu scis* ; *tu nosti quia
amo te* [d]. Et dictum est ei trina uice : *Pasce oues meas* [e] ;
sequere me [f], quasi qui peccatum suum nimia caritate
texisset [g]. Nec otiose post confessionem nimiae caritatis
iubetur plebem regere, qui etiam turbatus non amiserat
15 quemadmodum ipse se regeret. Hoc propter gratiam
diximus caritatis, eo quod peccatum tegat [h]. Denique
nonnulli ideo trinam interrogationem dilectionis factam
esse dixerunt, quia tria fuerat denegatio [i], ut trinae lapsum
negationis professio caritatis totiens repetita deleret.

49, 11 peccatum *KRG* : peccata *BB''s*   ‖   **50,** 7 respondit *KBRB''G* :
respondet *s*   ‖   8 domine *K* : *om. BRB''Gs*   ‖   18 denegatio *KRB''G* : negatio *Bs.*

49 b. Ps. 31, 1 (= Rom. 4, 7)   ‖   c. I Pierre 4, 8   ‖   d. Lc 7, 47   ‖
50 a. Cf. Ps. 31, 1 a   ‖   b. Cf. Ps. 31, 1 b   ‖   c. Cf. Matth.
26, 69-75   ‖   d. Jn 21, 15-17   ‖   e. Jn 21, 17   ‖   f.
Jn 21, 19   ‖   g. Cf. Ps. 31, 1 b et I Pierre 4, 8   ‖   h. Cf.
I Pierre 4, 8   ‖   i. Cf. Matth. 26, 34.69-75.

---

69. Il s'agit respectivement de la première partie (*remissae sunt iniquitates*)
et de la seconde partie (*tecta sunt peccata*) du premier verset du *Ps.* 31, qui

et dont les péchés ont été couverts [b]. » En effet la « charité » cache l'égarement et « recouvre la multitude des péchés [c] ». Un grand amour remet même, lui aussi, le péché, ainsi qu'il est écrit au sujet de la femme qui répandit des parfums sur le Seigneur : « Ses nombreux péchés lui ont été remis, parce qu'elle a beaucoup aimé [d]. » **50.** Il en est aussi qui entendent le premier verset [a] du bain baptismal et le second [b] de la pénitence[69]. C'est selon ce pardon des péchés que Pierre, qui avait été auparavant baptisé[70], est interrogé, après qu'on l'eut vu renier le Seigneur [c] : « Simon, fils de Jean, m'aimes-tu ? » Il lui dit : « Oui, Seigneur, tu sais que je t'aime. » Et il est interrogé à nouveau : « Simon, fils de Jean, m'aimes-tu ? » Et il répond derechef : « Tu sais, Seigneur, que je t'aime. » Et une troisième fois il est interrogé : « Simon, fils de Jean, m'aimes-tu ? » Et il est tout attristé que le Seigneur lui ait dit une troisième fois : « M'aimes-tu ? » Et il lui dit : « Seigneur tu sais tout ; tu sais bien que je t'aime [d]. » Et le Seigneur lui dit par trois fois : « Pais mes brebis [e] ; suis-moi [f] », comme s'il s'adressait à quelqu'un qui aurait recouvert son péché par un amour sans mesure [g]. Et ce n'est pas sans raison qu'après cette profession d'un amour sans mesure, il reçoit l'ordre de gouverner le peuple, celui qui, jusque dans son trouble, n'avait pas laissé échapper le moyen de se gouverner lui-même. Nous avons rapporté cela à propos du pardon qu'apporte l'amour, parce qu'il recouvre le péché [h]. Par suite, certains ont affirmé que la question au sujet de l'amour avait été triple parce que triple avait été le reniement [i] ; c'était pour que la faute du triple reniement fût effacée par une profession de foi renouvelée autant de fois[71].

---

vient d'être cité. La rémission des iniquités se fait par le baptême, l'occultation des péchés par la pénitence : cf. *De paenit.*, II, 5, 35. Le thème est origénien, cf. *In Psalmos*, 31, 1 ; *PG* 12, col. 1301 : « Les injustices sont remises par le saint baptême, les péchés sont couverts par un amer repentir. » Voir surtout ORIGÈNE, *In Romanos*, IV, 1-2.

70. L'exemple du pardon de Pierre est donc rapporté à l'appui de l'exégèse précédente. Voir également plus haut § 25.

71. Cf. *De sacram.*, II, 7, 21 ; *De Spir. Sancto*, II, 10, 105 ; *De ob. Theodos.*, 19 ; *Exp. Eu. sec. Lucam*, X, 90 et 175.

X, 51. Sequitur : *Tibi soli peccaui* [a]. Rex utique erat, nullis ipse legibus tenebatur, quia liberi sunt reges a uinculis delictorum ; neque enim ullis ad poenam uocantur legibus tuti imperii potestate. Homini ergo non peccauit, cui non
5   tenebatur obnoxius. Sed quamuis tutus imperio deuotione tamen ac fide erat deo subditus et legi eius subiectum se esse cognoscens peccatum suum negare non poterat, sed quasi reus cum amaritudine fatebatur, qui sciret maioribus uinculis se teneri, quia maiora deberet, quoniam plus ab
10 eo exigitur, cui plus commissum est [b].

Possumus autem et ita accipere : Quis me diiudicat [c], cum omnes sub peccato sint [d] ? Denique dominus de illa adultera : *Qui sine peccato est*, inquit, *prior lapidet eam* [e]. Et nemo lapidauit. Hoc igitur ait propheta : *Tibi peccaui* [f],
15 qui solus sine peccato es. Qui autem peccato obnoxius est

51, 4 tuti imperii *KRᵖᶜB" G* : toti imperii *Rᵃᶜ* (u *in* o *scr.*)   sub imperii *B*   tuti sub imperii *s*   ‖   11 autem *KRB" G* : etiam *Bs*   ‖   14 tibi *KBR* : tibi soli *B" Gs.*

---

51 a. Ps. 50, 6   ‖   b. Cf. Lc 12, 48   ‖   c. Cf. I Cor. 4, 3   ‖   d. Cf. Rom. 3, 9   ‖   e. Jn 8, 7   ‖   f. Ps. 50, 6.

---

72. DIDYME, *Commentaire sur les Psaumes*, § 538 Mühlenberg : « Dans la mesure où par le fait qu'*il était roi, il n'était soumis à aucune loi humaine, il n'a péché contre aucun législateur* et il n'a pas fait le mal en présence de l'un d'entre eux. Mais puisqu'il voulait ajouter au fait d'être roi, la qualité d'*être pieux, il était assujetti à la loi de Dieu.* C'est pourquoi il a péché contre Dieu seul et il a fait le mal en présence de Dieu (*Ps.* 50, 6). » Le rapprochement signalé par G. MADEC, *Saint Ambroise et la philosophie*, p. 297, n. 128, entre le texte d'Ambroise et d'ATHANASE, *Exp. Ps. L* (*PG* 27, col. 240) serait probant si nous ne connaissions l'ensemble des rapprochements entre Didyme et Ambroise. La parenté entre Athanase et Didyme s'explique évidemment par l'influence exercée par Origène sur les deux auteurs. La formule d'Ambroise : « se reconnaissant assujetti à la loi de Dieu » est d'ailleurs plus proche de Didyme que d'Athanase qui dit seulement : « soumis à Dieu seul ». En *Exp. Ps. CXVIII*, 16, 32, l'on retrouve les deux exégèses proposées ici (d'une part, le roi pèche contre Dieu seul ; d'autre part, personne ne peut juger,

Verset 6 a   X, **51**. Vient ensuite : « Contre toi
1⁰ : Dieu seul juge   seul j'ai péché [a]. » Oui, il était roi[72]
du roi   et aucune loi ne le liait personnellement
                car les rois échappent aux chaînes que
nous valent nos fautes ; aucune loi, en effet, ne les voue à un
châtiment, protégés qu'ils sont par la puissance que leur confère
le pouvoir suprême. Il n'a donc pas péché contre un homme,
puisqu'il n'était punissable par aucun homme. Mais bien que
protégé par le pouvoir souverain, il était néanmoins, par sa
piété et sa foi, soumis à Dieu : se reconnaissant assujetti à la
loi de Dieu, il ne pouvait nier son péché, mais, en tant que
coupable, il l'avouait avec douleur, sachant qu'il était tenu
par des liens d'autant plus étroits que plus grandes étaient
ses obligations : on exige en effet davantage de celui à qui
l'on a confié davantage [b].

2⁰ : Dieu seul juge,   Nous pouvons aussi comprendre
parce que seul sans péché   de la manière suivante : Qui peut
                me juger [c], puisque tous sont sous
le joug du péché [d] ? C'est pourquoi le Seigneur a dit, à propos
de la femme adultère : « Que celui qui est sans péché soit le
premier à lui jeter la pierre [e]. » Et nul ne lui jeta de pierre.
Voici donc ce que dit le prophète : « Contre toi j'ai péché [f] »,
toi qui seul es sans péché[73]. C'est que celui qui, lui-même, est

---

sauf Dieu seul, parce que personne n'est sans péché) ainsi que l'allusion
finale à *Lc* 17, 7-8 : « Plus ipse debet cui plus commissum est. » Cf. également
Lettre 37 (Faller VII), 26. Les amplifications d'Ambroise par rapport au
texte de Didyme (« les rois échappent aux chaînes que nous valent nos fautes »,
« aucune loi ne les voue à un châtiment, protégés qu'ils sont par la puissance
que leur confère le pouvoir suprême ») s'expliquent peut-être par la dédicace à
Théodose.

73. Cf., dans un contexte présentant une interprétation toute différente
de l'histoire de David, ORIGÈNE, *In Romanos*, II, 14 : « Tibi soli peccaui et
malum coram te feci quia caeteri omnes, utpote animales homines, me qui
spiritalis sum, etiamsi erraui, diiudicare non possunt, quia spiritalis iudicat
omnia, ipse uero a nemine iudicatur. Sed quia addit Paulus ' spiritalis ' et
dicit : ' Qui autem iudicat me Dominus est ', hoc sciens et Dauid quod solus
Dominus est qui spiritalem diiudicat, uel prophetam, idcirco dicit : ' Tibi soli
peccaui ', a quo solo possum diiudicari. Nam humana dies diiudicare non
potest spiritalem. » Cf. plus haut, n. 2.

quasi peccatorem [g] non potest iudicare. Inexcusabilis est enim omnis homo [h], qui in alio ea quae agit ipse condemnat ; in quo enim alium iudicat semet ipsum adiudicat.

20 *Tibi*, inquit, *peccaui et malum coram te feci, ut iustificeris in sermonibus tuis et uincas, cum iudicaris* [i]. Tibi peccaui, qui me ad uirtutis studia prouocasti, qui me erudisti in lege tua [j]. Tibi soli peccaui, quem solum abscondita cogitationum et mentis occulta non fallunt [k].

52. *Et malum coram te feci* [a], quem sola sanctificatio decet [b]. Hominis testimonium declinamus, et in conspectu tuo ea quae sunt indigna committimus. Iniuria est hominis spectare flagitia, deum arbitrum esse omnium scimus et
5 eo ipso teste peccamus.

Et tamen in his iustificatur magis dominus deus noster, quia *iniustitia nostra dei iustitiam commendat* [c] et mendacium nostrum concelebrat ueritatem dei ; *sit autem deus uerax, omnis autem homo mendax* [d]. **53.** *Vt iustificeris in sermonibus tuis* [a]. Sermones dei pleni ueritatis sunt atque iustitiae ideoque uera sunt quaecumque locutus est dominus de fragilitate humana, quia inclinatum est cor eorum ad

---

52, 2 et *KRB''G* : sed *Bs* ‖ 3 hominis *KRB''G* : homini *Bs* ‖ 8 autem *KR* : enim *BB''Gs*.

51 g. Cf. Rom. 3, 7 ‖ h. Cf. Rom. 2, 1 ‖ i. Ps. 50, 6 (LXX) (= Rom. 3, 4) ‖ j. Cf. Ps. 93, 12 ‖ k. Cf. Ps. 43, 22 ; 93, 11 ; I Cor. 3, 20 ; Rom. 2, 16 ‖ **52** a. Ps. 50, 6 ‖ b. Cf. Ps. 92, 5 ‖ c. Rom. 3, 5 ‖ d. Ps. 115, 2 (116, 11 hébr.) (= Rom. 3, 4) ‖ **53** a. Ps. 50, 6 (= Rom. 3, 4).

---

74. L'exégèse du *Ps.* 50, 6 est étroitement liée ici à celle de *Rom.* 3, 4-20.
75. DIDYME, *Commentaire sur les Psaumes*, § 539 Mühlenberg : « Et encore : *puisque Dieu a dit que le cœur des hommes est enclin à l'iniquité* et qu'il n'y

coupable de péché ne peut juger un homme comme pécheur g.
Inexcusable en effet est tout homme h qui condamne en autrui
ce qu'il fait lui-même. Car par le fait même qu'il juge autrui,
c'est lui-même qu'il juge en même temps.

3º : Dieu seul juge,
parce qu'il voit
les pensées cachées

« Contre toi, dit-il, j'ai péché et
devant toi j'ai fait le mal, en sorte
que tu es justifié dans tes paroles
et que tu triomphes quand tu es jugé i. »
J'ai péché contre toi qui m'as poussé à la pratique de la vertu,
qui m'as instruit dans ta loi j. J'ai péché contre toi seul, que
seul ni les pensées cachées ni les secrets du cœur ne trompent k.

Verset 6 b
Dieu témoin de tout

52. « Et devant toi j'ai fait le
mal a », devant toi à qui convient
la seule sainteté b. Nous récusons
le témoignage de l'homme et c'est en ta présence que nous
commettons des actions indignes de toi ! Voir les turpitudes
de l'homme, c'est subir une injure ; nous savons que Dieu est
le témoin de tout, et c'est devant ce témoin précisément que
nous péchons.

Verset 6 c
1º : Dieu « justifié »
par l'aveu des péchés

Et pourtant c'est en cela que le Seigneur
notre Dieu est plus pleinement justifié,
car « notre injustice met en relief la
justice de Dieu c » et notre mensonge
proclame la vérité de Dieu[74]. « Or si Dieu est véridique, tout
homme est menteur d. » 53. « En sorte que tu es justifié dans
tes paroles a. » Les paroles de Dieu sont pleines de vérité et
de justice et c'est pourquoi est vrai tout ce que le Seigneur
a dit touchant la fragilité humaine[75] : que le cœur des hommes

a pas d'homme qui ne soit pécheur, puisque même les parfaits commettent des
péchés, le Seigneur est justifié dans ses paroles dans lesquelles il a dit : ' Tous
s'étant détournés se sont pervertis. ' Pour cette raison, il triomphe quand il est
jugé, ayant fourni la preuve à l'égard des hommes en les déclarant pécheurs.
En conséquence, si nous déclarons que ' nous n'avons pas péché ', nous faisons
de Dieu un menteur. Car s'il a déclaré que tous étaient enclins au péché, celui
qui prétend être impeccable, dans la mesure où il le peut, dénonce Dieu comme
menteur. »

5 nequitiam, propendit ad fraudem [b] et quia definiuit eo
quod non sit homo qui non peccet [c] : *Omnes* enim *declinaue-*
runt et inutiles facti sunt [d]. Ideo uincit, dum iudicatur [e],
quoniam prolapsione uniuersorum probauit quaecumque de
nostra iudicauit fallacia. Ergo si dixerimus quia iniquitatem
10 fecimus [f], iustificamus dominum in sermonibus suis [g],
si autem *dixerimus quia non peccauimus, mendacem facimus*
deum [h] ; sed *inpossibile est mentiri* eum [i]. Nos igitur omnes sub peccato esse [j] manifestum est. **54.** Quantum igitur
crimen, ut homo se peccatorem neget, quoniam quantum
in ipso est summi dei uidetur arguere ac refutare mendacium, qui tam moderatus et patiens est, ut uincat, cum
5 iudicatur [a].

Venitur enim ad iudicium, deus dicit : *Populus meus, quid*
feci tibi aut quid contristaui te aut quid molestus tibi fui ?
Quia eduxi te de terra Aegypti, et de domo seruitutis liberaui
te et misi ante faciem tuam Moysen et Aaron et Mariam.
10 *Plebs mea, in mente habeto quid cogitauerit de te Balac* [b].
Singula in conspectu tuo locat beneficia sua, ut tamquam
de his iudices quae seruare debueras, quo magis reus fias,
qui diuinis non potueris stare beneficiis. *Quid feci*, inquit,
tibi ? Tamquam reum se constituit et te iudicem. *Aut*
15 *quid contristaui te ?* Offensi uultus non abnuit crimen,
si tu deo es contristatus auctore. *Aut quid molestus tibi fui ?*
Interpellationis iniuriam confitetur, si molestior aestimata

53, 6 declinantes declinauerunt *K*   ‖   10 dominum *K* : deum
BRB"Gs.

53 b. Cf. Gen. 6,5 ; 8,21 ; Ps. 35,3 ; 139,3   ‖   c. Cf. II Chr. 6, 36 ;
Eccl. 7, 20   ‖   d. Ps. 13, 3 (= Ps. 52, 4 ; Rom. 3, 12)   ‖
e. Cf. Ps. 50, 6 (LXX)   ‖   f. Cf. Dan. 9, 5.15   ‖   g. Cf. Ps.
50, 6 (= Rom. 3, 4)   ‖   h. I Jn 1, 10   ‖   i Hébr. 6, 18
‖   j. Cf. Rom. 3, 9   ‖   **54** a. Cf. Ps. 50, 6 (LXX)   ‖   b.
Mich. 6, 3-5 (LXX).

est enclin à l'iniquité, qu'il tend à la ruse [b] ; et aussi ce qu'il a déclaré formellement, étant donné qu'il n'y a pas d'homme qui ne soit pécheur [c] : « Tous, en effet, se sont détournés et se sont pervertis [d]. » Pour cette raison, il triomphe quand il est jugé [e], car, avec la chute de tous dans le péché, il a fourni la preuve de tout ce qu'il avait dit quand il avait porté un jugement sur notre fourberie. En conséquence, si nous déclarons[76] que nous avons commis l'iniquité [f], nous justifions le Seigneur dans ses paroles [g] ; mais « si nous déclarons que nous n'avons pas péché, nous faisons de Dieu un menteur [h] ». Pourtant « il est impossible qu'il mente [i] ». Il est donc manifeste que nous sommes tous sous le joug du péché [j]. **54.** Quel crime monstrueux c'est donc pour l'homme que d'oser dire qu'il n'est pas pécheur ! Car, dans la mesure où il le peut, il semble dénoncer et réfuter un mensonge du Dieu Très-Haut qui est pourtant si modéré et si patient qu'il triomphe quand il est jugé [a].

2º : Dieu « justifié » par ses bienfaits En effet on en vient au procès[77] ; Dieu dit : « Ô mon peuple, que t'ai-je fait, en quoi t'ai-je contristé, en quoi t'ai-je importuné ? Car je t'ai fait sortir de la terre d'Égypte et je t'ai délivré de la maison de la servitude et j'ai fait marcher devant toi Moïse, Aaron et Marie. Ô mon peuple, qu'il te souvienne de ce que Balach tramait à ton endroit [b]. » Un à un, il met sous tes yeux ses bienfaits, afin que, pour ainsi dire, en raison de ces bienfaits, tu juges de ce que tu aurais dû observer et que tu n'en deviennes que plus coupable, toi qui n'as pas pu t'en tenir aux bienfaits divins : « Que t'ai-je fait ? », dit-il, se mettant en quelque sorte en situation d'accusé et te mettant toi en position de juge. « Ou en quoi t'ai-je contristé ? » Il ne repousse pas l'accusation que porte ton visage offensé, si tu as été contristé du fait de Dieu. « Ou en quoi t'ai-je importuné ? » Il confesse qu'il a fait tort par son appel si celui-ci a été jugé trop importun. Il ajoute l'énumération de bienfaits

76. Cf. *Exp. Eu. sec. Lucam*, VI, 3.
77. Cf. *Expl. Ps. XII*, 36, 71-72 ; *De fide*, II, 2, 20.

est. Addit beneficia, quorum gratiam non erubuit qui existebat ingratus.

20 In hac quoque causa considera quomodo dominus se ipsi Dauid iudicandum praebuit, ut uinceret [c]; dicit enim Nathan : *Haec dicit dominus deus Istrahel : Ego uncxi te in regem super Istrahel et ego liberaui te de manu Saul et dedi tibi omnia quae erant domini tui et uxores illius in* 25 *sinum tuum dedi et dedi tibi domum ipsius Istrahel et, si pauca sunt, adiciam tibi. Et quare pro nihilo duxisti dominum, ut faceres nequiter in conspectu eius* [d] ? Horum commemoratione conuentus cum uideret inferiorem se esse, cum iudicat [e], ait : *Peccaui domino* [f]. Ita iustificauit [g] domi-30 num, qui peccatum suum negare non ausus est.

55. Possumus et ita accipere : iustificat [a] dominum qui peccatum fatetur. Denique in euangelio habes quia *publicani iustificauerunt deum baptizati baptismo Iohannis* [b]. Baptista autem Iohannes *baptismum* fecit *paenitentiae* [c]. Qui 5 autem agit paenitentiam delicta non abnuit. Ergo quia Dauid contra se habebat semper delictum suum [d], utique non negabat quod et erubescebat, non negabat quod et agnoscebat. Non negando autem utique commissi paenitentiam gerebat erroris atque ita confitendo delictum 10 iustificabat [e] dominum et ipse iustificabatur a domino. Iustificatur enim dominus, dum eius praedicatur iustitia et ab eo uenia postulatur. Simul et ipse iustificat confitentem et iustificatur in sermonibus suis [f], sicut scriptum est : *Dic tu iniquitates tuas, ut iustificeris* [g].

54, 18 gratiam *RB''* (*nam* erubuit *transitiuus : cf. supra* **47**, 31) : gratia *KBGs* ‖ 19 existebat *KRB''G* : existimabat *B* existimabatur *Schenkl* ‖ 21 praebuit] praemittit *K* ‖ **55,** 14 tu *K* (*cf. Exp. Eu. sec. Luc., VI, 2*) : *om. BRB''Gs.*

54 c. Cf. Ps. 50, 6 (LXX) ‖ d. II Sam. 12, 7-9 ‖ e. Cf. Ps. 50, 6 ‖ f. II Sam. 12, 13 ‖ g. Cf. Ps. 50, 6 ‖ **55** a. Cf. Ps. 50, 6 ‖ b. Lc 7, 29 ‖ c. Lc 3, 3 ‖ d. Cf. Ps. 50, 5 ‖ e. Cf. Ps. 50, 6 ‖ f. Cf. Ps. 50, 6 (LXX) ‖ g. Is. 43, 26 (LXX).

dont n'a pas rougi de recevoir le don celui qui s'est montré ensuite ingrat[78].

Dans le même procès, considère de quelle manière le Seigneur s'est offert à David lui-même pour être jugé, afin de triompher [c]. Nathan dit en effet : « Voici les paroles du Seigneur, Dieu d'Israël. C'est moi qui t'ai donné l'onction royale pour que tu règnes sur Israël et c'est moi qui t'ai délivré des mains de Saül, qui t'ai donné tout ce qui appartenait à ton maître, et ses femmes sur ton sein ; et je t'ai donné la maison d'Israël lui-même, et, si c'est trop peu, j'y ajouterai encore. Pourquoi donc n'as-tu fait aucun cas du Seigneur, au point de commettre l'iniquité sous ses yeux [d] ? » Pressé par le rappel de ces bienfaits et voyant qu'il avait le dessous, lorsqu'il juge [e], David dit : « J'ai péché contre le Seigneur [f]. » C'est ainsi qu'il a justifié [g] le Seigneur, lui qui n'a pas osé nier son péché.

3⁰ : Dieu « justifié » et l'homme « justifié »   **55**. Et nous pouvons encore comprendre ce texte de la manière suivante : il justifie [a] le Seigneur, celui qui avoue son péché. En effet, dans l'Évangile, on voit que « les publicains justifièrent Dieu, en recevant le baptême de Jean [b] [79] ». Or Jean le Baptiste a donné « un baptême de pénitence [c] ». Mais qui fait pénitence ne refuse pas de reconnaître ses péchés. En conséquence, puisque David avait toujours contre lui sa faute [d], il ne niait donc pas ce dont il rougissait aussi, il ne niait pas ce qu'il reconnaissait. Or, du fait qu'il ne le niait pas, il faisait par suite pénitence de son égarement et ainsi, par l'aveu de sa faute, il justifiait [e] le Seigneur et il était lui-même justifié par le Seigneur. Le Seigneur en effet est justifié quand on proclame sa justice et qu'on demande son pardon. Dans le même temps, il justifie celui qui avoue et il est justifié dans ses paroles [f], comme il est écrit : « Déclare toi-même tes iniquités, afin d'être justifié [g]. »

---

78. ORIGÈNE, *In Psalmos*, dans ms. *Lavra B 83* (communiqué par M. Richard) à rapprocher de *PG* 12, col. 1456 : « Dieu a été justifié comme il convient *par les bienfaits pour lesquels ceux qui les ont reçus n'ont montré que de l'ingratitude.* »

79. Même liaison entre *Ps. 50, 6, Rom.*, 3, 4 et *Lc* 7, 29, en *Exp. Eu. sec. Lucam*, **VI**, 1-3 et *Exp. Ps. CXVIII*, 15, 30.

XI, **56.** Sequitur : *Ecce in iniquitatibus conceptus sum
et in delictis peperit me mater mea* ᵃ. Quis tanto adfectu
agit paenitentiam ? Humi stratus iacuit fusus in lacrimas,
cibum non gustauit, lauacro se abdicauit ᵇ. Quid iam
5 reliqua dicam, quod abstinuerit ornatu et comitatu regio ?
Adiunxit confessionem iniquitatis suae et in perpetua
saecula toto canendam orbe transmisit.

Ecce, inquit, *in iniquitatibus conceptus sum et in delictis
peperit me mater mea* ᶜ. *Auerte faciem tuam a peccatis meis
10 et omnes iniquitates meas dele* ᵈ. *Ne proicias me a facie
tua et spiritum sanctum tuum ne auferas a me* ᵉ. *Libera
me de sanguinibus, deus deus salutis meae* ᶠ. Antequam
nascimur, maculamur contagio et ante usuram lucis originis ipsius excipimus iniuriam. In iniquitate concipi-
15 mur — non expressit utrum parentum an nostra —
et in delictis generat unumquemque mater sua. Nec hic
declarauit utrum in delictis suis mater pariat an iam
sint aliqua delicta nascentis. Sed uide ne utrumque intel-
legendum sit. Nec conceptus exors iniquitatis est,
20 quoniam et parentes non carent lapsu. Et si nec unius
diei infans sine peccato ᵍ, multo magis nec illi materni
conceptus dies sine peccato sunt. Concipimur ergo in
peccato parentum et in delictis eorum nascimur. Sed et

56, 1 in iniquitatibus *RB''ᵖᶜ* (in *s.v.*) : enim in iniquitatibus *Bs* enim
iniquitatibus *K G*   ‖   13 nascimur *KBRs*: nascamur *B''G
Augustinus fortasse recte.*

56 a. Ps. 50, 7   ‖   b. Cf. II Sam. 12, 16-22   ‖   c. Ps. 50, 7
‖   d. Ps. 50, 11   ‖   e. Ps. 50, 13   ‖   f. Ps. 50, 16   ‖
g. Cf. Job 14, 4-5 (LXX).

80. Il s'agit précisément du psaume 50. Ce développement sur la pénitence
du roi David, très proche du § 15, s'adresse probablement à Théodose : cf.
Introduction, p. 41.
81. Ce texte (antequam nascimur... contagium) a été reproduit par saint
Augustin dans son *Contra Iulianum*, I, 3, 10 ; cf. G. Madec, *Saint Ambroise
et la philosophie*, p. 281 et 295.

Verset 7
La souillure
du péché originel

XI, **56.** Voici la suite : « Oui, j'ai été conçu dans les iniquités et c'est dans les fautes que ma mère m'a mis au monde [a]. » Qui fait pénitence avec de pareils sentiments ? Étendu à terre, il était abîmé en des torrents de larmes, il ne goûta à aucune nourriture, il refusa de se baigner [b]. Dirai-je aussi le reste : il renonça à l'escorte et aux ornements royaux. A tout cela, il ajouta la confession de son iniquité[80] et il l'a transmise à toute la suite des siècles pour qu'elle soit chantée dans l'univers entier.

« Oui, j'ai été conçu, dit-il, dans les iniquités et c'est dans les fautes que ma mère m'a mis au monde [c]. Détourne ta face de mes péchés et efface toutes mes iniquités [d]. Ne me rejette pas loin de ta face, et ton Esprit Saint ne le retire pas de moi [e]. Délivre-moi du sang, ô Dieu, Dieu de mon salut [f]. » Avant notre naissance déjà[81] la contagion nous souille et avant de jouir de la lumière nous contractons l'injustice qui vient de notre origine elle-même. C'est dans l'iniquité que nous sommes conçus — il n'a pas précisé[82] si c'est celle de nos parents ou la nôtre —, et c'est dans les fautes que chacun de nous est mis au monde par sa mère — mais ici non plus il n'a pas précisé si c'est dans ses propres fautes qu'une mère enfante ou s'il n'y a pas déjà certains péchés chez le nouveau-né. Mais prends garde, il se pourrait qu'il faille comprendre l'un et l'autre. L'être conçu n'est pas exempt d'iniquité, car ses parents aussi ne sont pas sans fautes. Et si même l'enfant[83] qui n'a qu'un jour n'est pas sans péché [g], il est bien plus vrai encore que les jours où la mère a conçu ne le sont pas non plus. Nous sommes donc conçus dans le péché de nos parents et c'est dans leurs fautes que

---

82. Origène, dans R. Cadiou, *Commentaires inédits...*, p. 83 : « *Il n'est pas dit clairement de qui sont les iniquités, de David ou de sa mère. Il en est de même pour les péchés.* »

83. Cf. *Expl. Ps. XII*, 1, 22 ; *De sacram.*, III, 2, 13 ; *De interpell.*, IV, 2, 6. C'est un thème origénien, cf. Origène, *In Lucam Hom.*, XIV, 5 (*SC* 87, p. 222) : « Nullus mundus a sorde nec si unius quidem diei fuerit uita eius super terram. Et quia per baptismi sacramentum natiuitatis sordes deponuntur, propterea baptizantur et paruuli. » L'hésitation d'Origène (cf. note précédente) se retrouve dans les lignes qui précèdent immédiatement le texte que nous citons : « Quorum peccatorum ? Vel quo tempore peccauerunt ? »

ipse partus habet contagia sua, nec unum tantummodo
25 habet ipsa natura contagium. Bonum quidem coniugium,
sancta copula; sed tamen *qui habent uxores ita sint ac si non
habentes* [h]. Ipse torus incoinquinatus [i] et nemo alterum
fraudare debet eo nisi forte ad tempus, ut uacent orationi [j] :
iam secundum apostolum non uacat orationi quis eo tem-
30 pore quo usum corporeae illius conuentionis exercet.
Et mulieri menstruatae coinquinatus est pannus nec potest
illis diebus purgationis suae offerre sacrificium [k] ,et mulieris
quae generauerit dies partus et plerique alii a sacrificio
feriati sunt, donec legitimo ritu feta mundetur [l].

57. Ideo in quo uoluit dominus nulla huiusmodi originis
esse contagia, dicit illi dominus : *Priusquam te formarem
in utero matris tuae, noui te et, priusquam exires de uulua,
sanctificaui te et prophetam in gentibus posui te* [a]. Quis
5 tantus, cui tam magna delata sunt ? Numquid Hieremias ?
Sed non ille utique in gentibus propheta positus, sed in
Iudaea tunc temporis, nunc autem etiam in nationibus,
quae in Iesum dominum crediderunt. Vide tamen ne
illi dicatur, qui antequam nasceretur ex uirgine, iamdu-
10 dum erat et erat semper et operabatur etiam in utero
Mariae constitutus et ita sanctus erat, ut sanctificaret pro-
phetas suos [b]. In quo solo et conceptus uirginalis et partus
sine ullo fuit mortalis originis inquinamento. Dignum

56, 29 iam *RB"G* : tamen *KBs*   ‖   quis *KGs* : qui se *B*   qui
RB"   ‖   **57,** 6 positus *KRB"G* : propositus *Bs*.

56, h. 1 Cor. 7, 29   ‖   i. Cf. Hébr. 13, 4   ‖   j. Cf. I Cor.
7, 5   ‖   k. Cf. Lév. 15, 19-28   ‖   l. cf. Lév. 12, 2-7   ‖
57 a. Jér. 1, 5   ‖   b. Cf. Lc 1, 41-44.

84. Sur ce texte, cf. G. MADEC, *Saint Ambroise et la philosophie*, p. 311,
n. 196. Le sens de *natura* (l. 25) me semble déterminé par les lignes 31-34.

nous naissons. Mais l'enfantement lui-même a ses souillures et les organes de la génération, eux aussi, n'ont pas qu'une seule souillure. C'est une bonne chose certes que le mariage, une chose sainte que l'union conjugale[84] ; et pourtant « que ceux qui ont une épouse soient comme s'ils n'en avaient pas [h] ». Le mariage lui-même est pur [i] et aucun des époux ne doit se refuser à l'autre, si ce n'est peut-être pour un temps, pour vaquer à la prière [j]. Dès lors, selon l'Apôtre, on n'est pas libre pour la prière dans le temps où l'on pratique cette union charnelle. Et le linge de la femme est impur aux jours de menstrue et elle ne peut, en ces jours-là, offrir le sacrifice de sa purification [k]. Quant à celle qui a enfanté, le jour de l'accouchement et nombre d'autres par la suite lui sont interdits pour le sacrifice, jusqu'à ce que l'accouchée puisse être purifiée[85] par le rite prévu par la Loi [l].

57. C'est pourquoi le Seigneur déclare à celui chez qui il n'a voulu aucune souillure venant d'une telle origine : « Avant de te former au sein de ta mère[86], je t'ai connu et, avant que tu fusses sorti de ses entrailles, je t'ai consacré et je t'ai établi prophète au milieu des nations [a]. » Qui est si grand que de tels privilèges lui aient été conférés ? Est-ce Jérémie ? Mais pourtant, assurément, ce n'est pas au milieu des nations, qu'il a été établi prophète, mais à cette époque-là, il ne fut prophète qu'en Judée. C'est seulement maintenant qu'il est prophète au milieu des nations qui ont cru au Seigneur Jésus. Mais prends garde : il se pourrait que ces paroles s'adressent à celui qui, avant de naître de la Vierge, existait déjà et existait éternellement et agissait alors même qu'il se trouvait dans le sein de Marie ; et sa sainteté était telle qu'il sanctifiait ses prophètes [b]. C'est en lui seul qu'il y a eu conception virginale et enfantement sans la moindre souillure due à l'origine mortelle. Il convenait

---

85. Cf. ORIGÈNE, *In Lev. Hom.*, VIII, 3, où en liaison avec le commentaire de *Lév.* 12, 1-2, on retrouve l'idée de la souillure de la génération, la citation du *Ps.* 50, 7 et de *Job* 14, 4-5.

86. Pour les autres citations de ce texte chez Ambroise, cf. G. MADEC, *Saint Ambroise et la philosophie*, p. 265, n. 65. Ici, selon Ambroise, les paroles de Dieu ne s'adressent pas à Jérémie, mais au Christ, dont elles annoncent la conception virginale.

etenim fuit ut qui non erat habiturus corporeae peccatum
15 prolapsionis nullum sentiret generationis naturale contagium. Merito ergo Dauid flebiliter in se deplorauit ipsa
inquinamenta naturae, quod prius inciperet in homine
macula quam uita.

XII, **58.** Dum haec dicit et peccatorum specialium atque
communium conluuiem confitetur, subito ei splendor
ueritatis et candor gratiae spiritalis offulsit. Supergressus
enim umbram spiritu prophetico ipsa uidit mysteriorum
5 sacramenta caelestium, quorum typum Moyses praefigu-
rauit in lege [a]. Vulneratus igitur caritatis [b] uulnere et inda-
gandae captus ueritatis cupiditate in superiora suae mentis
extendit intuitum [c] et in futura prospiciens thensauros
sapientiae et scientiae [d] uidit in Christo, praeuidit baptis-
10 matis sacramentum et miratus gratiam exclamauit subito
dicens : *Ecce enim ueritatem dilexisti ; incerta et occulta
sapientiae tuae manifestasti mihi* [e]. Non incerta mysteria,
quia certa sunt, nec incerta secreta et arcana sapientiae,
sed non manifesta. Hoc enim significat quae adhuc nullis

58, 14 significat *K Gs* : significant *BRB''*   ‖   quae adhuc *conieci* :
ad haec quae *KR*   quae *B'' G*   quia *Bs.*

58 a. Cf. Ex. 24, 8   ‖   b. Cf. Cant. 2, 5   ‖   c. Cf. Phil.
3, 13   ‖   d. Cf. Col. 2, 3   ‖   e. Ps. 50, 8 (LXX).

87. Cf. *De paenit.*, I, 3, 13 (avec citation du *Ps.* 50, 7).
88. Cf. le fragm. 3 du *De sacramento regenerationis siue de philosophia*
(G. MADEC, *Saint Ambroise et la philosophie*, p. 258) : « Ecce in iniquitatibus
conceptus sum et in delictis peperit me mater mea (*Ps.* 50, 7). Male Eua par-
turiuit, ut partus relinqueret mulieribus hereditatem, atque unusquisque
concupiscentiae uoluptate concretus et genitalibus uisceribus infusus et coa-
gulatus in sanguine, in pannis inuolutus, *prius subiret delictorum contagium
quam uitalis spiritus munus hauriret.* » Voir G. MADEC, *ibid.*, p. 300.

en effet que celui qui ne devait pas commettre le péché de la faiblesse charnelle ne subît aucune souillure originelle provenant de la génération[87]. C'est donc avec raison que David a déploré avec tristesse la présence en lui-même des souillures de la nature, puisque chez l'homme la souillure commence même avant la vie[88].

B. *Les signes de la rémission des péchés*

Verset 8
L'illumination prophétique
fruit de la pénitence

XII, **58.** Alors qu'il prononçait ces paroles et confessait les immondes souillures des péchés de l'individu et des péchés de l'espèce, brusquement[89], la splendeur de la vraie réalité et l'éclatante blancheur de la grâce spirituelle brillèrent à ses yeux. Car s'élevant au-dessus de la simple figure, il vit[90], dans l'esprit prophétique, les sacrements mêmes des mystères célestes dont Moïse a préfiguré le type dans la Loi [a]. Aussi, blessé[91] de la blessure d'amour [b], et pris du désir ardent de découvrir la vraie réalité, il tendit son regard jusque dans les régions supérieures [c] de son esprit, et sa vue plongeant dans le lointain du futur[92], il discerna les trésors de sagesse et de science [d] contenus dans le Christ. Il vit à l'avance le sacrement de baptême et, frappé d'admiration devant la grâce, il s'écria brusquement : « Voici que tu as aimé la vraie réalité ; tu m'as révélé ce qui est indéterminé et caché en ta sagesse [e]. » Les mystères eux-mêmes ne sont pas indéterminés, car, au contraire, ils sont déterminés ; les secrets et les arcanes de ta sagesse ne sont pas indéterminés, mais il ne sont pas révélés. Par ce terme, il désigne

---

89. Dramatisation analogue en *De Isaac*, 50. Cf. Introduction, p. 22.

90. Cf. *De interpell.*, IV, 9, 32 (*uidens... in spiritu*). Cf. plus haut, § 23.

91. Cf. *De Isaac*, 8 (*uulneratam caritatis*) ; *Exp. Ps. CXVIII*, 15, 39 ; *De uirginitate*, 91.

92. Dans cette description de l'extase prophétique, il peut y avoir un souvenir de *Phil.* 3, 13, sous une forme analogue à *Exp. Ps. CXVIII*, 15, 23 : « Extendens se semper ad superiora (= τοῖς ἔμπροσθεν) et ea quae praeteriit obliuiscens. » Mais on comparera également avec *De Isaac*, 62 (commentant *Cant.* 6, 9 : *prospiciens*) : « Tamquam in superioribus domus suae, id est corporis sui et supra mundum posita diuina intuetur. »

15 essent manifestata ; *quod enim oculus non uidit nec auris
    audiuit nec in cor hominis ascendit, hoc praeparauit deus
    diligentibus eum* [f]. Videns igitur ea dicit : Ecce iam non
    in umbra non in figura non in typo, sed in ueritate lux aperta
    resplendet. Ecce nunc ueritatem aspicio, splendorem ueri-
20 tatis agnosco, nunc te maiore, domine deus noster, ueneror
    adfectu. *Ecce enim ueritatem dilexisti* [g]. Non per speculum,
    non in aenigmate, sed facie ad faciem [h] te mihi, Christe,
    demonstras ; te in tuis teneo [i] sacramentis. Haec sunt tuae
    uera sacramenta sapientiae, quibus mentis occulta mun-
25 dantur [j].

    59. Itaque iam laetus atque securus, quod uibrasset
    ei sapientiae plenitudo, dicit ad dominum : *Asparges me
    hysopo, et mundabor* ; *lauabis me, et super niuem dealba-
    bor* [a]. Bene et ueteris testamenti sacramenta non eua-
5   cuat et euangelica docet mysteria praeferenda. Hysopo
    mundari secundum legem postulat, lauari secundum euan-

58, 18 non[1] *KRB''G* : nec *Bs* ‖ 22 facie *BᵖᶜRB''G* : faciem *Bᵃᶜ* (m
expunxit) s   om. *K* ‖ 23 demonstras *RB''G* : demonstrasti
Ks monstrasti *B* ‖   te in tuis *K* (te *s.v.*) *RB''G* : in tuis
te *Bs* ‖   teneo *KRB''G* : inuenio *Bs*.

58 f. I Cor. 2, 9 ‖ g. Ps. 50, 8 ‖ h. Cf. I Cor. 13, 12 ‖
i. Cf. Cant. 3, 4 ; Matth. 28, 9 ‖ j. Cf. Ps. 18, 13 ‖
59 a. Ps. 50, 9.

93. La « réalité » qu'aime Dieu, c'est la réalisation du mystère du salut,
en opposition à l'« ombre » de l'image et du type. Sur ce groupe d'idées ori-
géniennes (« vision face à face », opposition « ombre-réalité ») cf. ORIGÈNE,
Entretien avec Héraclide, SC 67, p. 108, reproduit par AMBROISE, *Exp. Eu.
sec. Lucam*, VII, 38-39.
94. Cf. *De Isaac*, 43 : « Teneo te... ut cognoscam mysteria tua, ut hauriam
sacramenta tua. »
95. *Sacramenta* est ici une reprise de *occulta sapientiae tuae* (*Ps.* 50, 8)
mis en relation avec *Ps.* 18, 13 : « Ab *occultis* meis munda me. » On retrouve
la même liaison entre « secrets » de la sagesse et « secrets » de l'esprit, dans
Expl. Ps. XII, 45, 1-3. Dans le commentaire du psaume 45, Ambroise sou-

les choses qui n'avaient encore été manifestées à personne. « Ce que l'œil, en effet, n'a pas vu, ce que l'oreille n'a pas entendu, ce qui n'a pas pénétré dans le cœur de l'homme, cela Dieu l'a préparé pour ceux qui l'aiment [f]. » C'est pourquoi, voyant ces choses il dit : Voici que désormais ce n'est pas dans l'ombre, ce n'est pas en figure, ce n'est pas dans un symbole, mais c'est en réalité que la lumière, devenue manifeste, resplendit. Voici que maintenant je contemple la réalité, je perçois la splendeur de la réalité[93], maintenant, ô Seigneur notre Dieu, je te vénère avec un plus grand amour. « Car voici que tu as aimé la vraie réalité [g]. » Ce n'est pas dans un miroir, ce n'est pas en énigme, c'est face à face [h] que tu te montres à moi, ô Christ ; je te saisis [i] dans tes mystères[94]. Voilà les vrais secrets de ta sagesse[95], qui purifient les secrets de l'esprit [j].

Verset 9
La blancheur spirituelle

59. C'est pourquoi, désormais joyeux et assuré — car l'accomplissement des desseins de la sagesse avait étincelé à ses yeux —, il dit au Seigneur : « Tu m'aspergeras avec l'hysope et je serai purifié ; tu me laveras et je serai plus blanc que neige [a]. » D'une manière excellente, à la fois il n'abolit pas les sacrements de l'Ancien Testament et il enseigne qu'il faut leur préférer les mystères de l'Évangile. Il demande que l'hysope[96] le purifie, conformément à la Loi, mais il désire

---

ligne (p. 329, 10 Petschenig) que le titre du psaume comporte l'expression « pro occultis » et il rapproche cette notion de celle qui apparaît au verset 8 du psaume 50 : « Incerta et occulta sapientiae tuae manifestasti mihi. » Il en conclut : « Ergo in occulto cordis nostri occulta sapientiae recondamus » (p. 329, 20). Donc les secrets de la sagesse gardés dans le secret des cœurs purifient ceux-ci.

96. DIDYME, *Commentaire sur les psaumes*, § 541 Mühlenberg : « Celui qui s'approche de la Pâque *figurative, conformément à la Loi, est purifié par le sang d'un agneau* de ce monde, en utilisant *l'hysope*, comme il est écrit dans l'Exode (12, 22). Mais celui qui s'approche de l'agneau de Dieu qui efface les péchés du monde, *étant lavé* par le sang de son immolation, est *plus blanc que neige*. Les deux choses sont arrivées à David : *il a été aspergé à l'aide de l'hysope* — le sang de l'agneau figuratif — et *il a été lavé* par Jésus de telle sorte *qu'il est plus blanc que neige*. » Chez Didyme, David est « aspergé » (Ancienne Alliance) et en même temps « lavé » (Nouvelle Alliance). Ambroise ne rapporte plus les deux phrases à David et les oppose dans le temps (imparfait et présent).

gelium concupiscit et super niuem se extimat, si lotus fuerit,
dealbandum. Per hysopi fasciculum aspargebatur agni
sanguine qui mundari solebat typico baptismate [b]. Lauatur

10   autem qui diluitur aeterni fontis inriguo et super niuem
dealbatur cui culpa dimittitur. Denique de ipsa anima
dicitur : *Quae est haec, quae ascendit dealbata* [c] ? Antequam
baptizaretur, ipsa est quae dicebat : *Nigra sum et decora,
filia Hierusalem* [d]. Erat enim nigra, tenebroso pecca-

15   torum horrore deformis, sed posteaquam abluta per baptismum remissionem meruit delictorum, dealbata ascendit
ad Christum. Inde et per Esaiam dominus locutus est dicens :
Si fuerint peccata uestra sicut phoenicium, ut niuem dealbabo [e],
id est : si cruenta, si tetra, mundabo. Haec est nix intellegi-

20   bilis, de qua ait quod domini Iesu in euangelio refulserint
uestimenta sicut nix [f], eo quod peccatum non cognouit [g]
et caro eius, qua se induit ueniens in hunc mundum, ab
omni fuerit munda delicto. Quid miraris si uidit baptismatis
sacramenta cum supra dixerit, ubi descripsit domini passio-

25   nem : *Dominus pascit me, et nihil mihi deerit ; in loco uiridi
ibi me conlocauit, super aquam refectionis educauit me* [h],

59, 7 super *KB"* : supra *BRGs* ‖ 9 solebat *K* : uolebat
BRB"Gs ‖ 10 super *K* : supra *BRB"Gs* ‖ 14 filia
KBRs : filiae *B"G fortasse recte* ‖ 20 quod domini Iesu
in euangelio *KRB"G* : dominus Iesus in euangelio quod *B* in
euangelio quod domini Iesu *s* ‖ 21-22 cognouit et *K* :
cognouerit *BRB"Gs* ‖ 22 qua *RB"G* : quae *K* quando *Bs*.

---

59 b. Cf. Ex. 24, 6-8 ; Hébr. 9, 13-14 ; 19-20 ‖ c. Cant. 8, 5 ‖
d. Cant. 1, 5 ‖ e. Is. 1, 18 (LXX) ‖ f. Cf. Matth. 17,
2 ‖ g. Cf. Jn 8, 46 ; II Cor. 5, 21 ; Hébr. 4, 15 ; I Pierre 2,
22 ‖ h. Ps. 22, 1-2.

---

97. Développement exactement parallèle dans *De mysteriis*, 34.

98. Cf. G. MADEC, *Saint Ambroise et la philosophie*, p. 302, qui note qu'Ambroise a peut-être emprunté l'expression *fontis inriguum* à VIRGILE, *Georg.*
IV, 32 et qu'il l'emploie maintes fois pour désigner les eaux de la fontaine
baptismale.

99. ORIGÈNE, dans R. CADIOU, *Commentaires inédits...*, p. 83 : « Tu cherche-
ras quel est cet hysope avec lequel Dieu asperge afin de purifier et comment

ardemment être lavé, conformément à l'Évangile[97], et il estime qu'il devra être plus blanc que la neige s'il est lavé. Il était aspergé du sang d'un agneau, à l'aide du bouquet d'hysope, celui qui avait coutume d'être purifié par le baptême figuratif [b]. Mais il est lavé celui dont les fautes sont effacées par le flot de la source éternelle[98] et il est plus blanc que neige celui dont la faute est remise. En outre il est dit de l'âme[99] elle-même : « Qui est-elle, celle qui monte, toute blanche [c] ? » Avant d'être baptisée, c'est elle-même qui disait : « Je suis noire, mais belle, ô fille de Jérusalem [d]. » Elle était noire en effet, défigurée par l'horreur ténébreuse du péché, mais après que, lavée par le baptême, elle a mérité la rémission de ses fautes, elle s'élève, toute blanchie jusqu'au Christ. De là ce qu'a exprimé le Seigneur par la bouche d'Isaïe en disant : « Vos péchés fussent-ils pareils à l'écarlate, je les rendrai blancs comme neige [e] », c'est-à-dire, s'ils sont rouges sang, s'ils sont noirs même, je les purifierai. Il s'agit ici de la neige spirituelle[100] au sujet de laquelle l'Écriture dit que les vêtements du Seigneur Jésus, dans l'Évangile, resplendirent comme neige [f], parce qu'il n'a pas connu le péché [g] et que sa chair, dont il s'était revêtu en venant en ce monde, était pure de toute faute[101]. Comment s'étonner que David ait vu à l'avance les mystères du baptême[102], alors qu'il a dit auparavant, là où il a décrit la passion[103] du Seigneur : « Le Seigneur est mon berger et rien ne me manquera. Il m'a établi dans une région verdoyante et il m'a conduit près de l'eau de la régénération [h] » ? Et ailleurs : « La voix du Seigneur retentit

---

il lave, en sorte qu'elle soit plus blanche que neige, en sorte qu'*il est dit au sujet d'une telle âme* : ' *Qui est-elle, celle qui monte, toute blanche ?* ' »

100. DIDYME, *Commentaire sur les Psaumes*, § 541 Mühlenberg : « Ici il fait allusion à la *neige spirituelle*. »

101. Cf. *De mysteriis*, 34-35, où l'on retrouve les mêmes citations scripturaires.

102. Les mystères du baptême sont indiqués par la mention de l'eau dans les deux psaumes 22 et 28 (*aquam* refectionis, uox domini super *aquas*). Sur le rôle du psaume 22 dans la liturgie baptismale, cf. J. DANIÉLOU, « La messe et sa catéchèse chez les Pères de l'Église », dans le recueil *La messe et sa catéchèse*, Paris 1947, p. 49 s. et G. MADEC, *Saint Ambroise et la philosophie*, p. 303. Cf. *De mysteriis*, 43 et *Expl. Ps. XII*, 36, 61.

103. Il décrit la passion à cause du mot *baculus*, cf. *De sacram.*, V, 3, 13 : « *Virga imperium, baculus passio.* »

et alibi : *Vox domini super aquas, deus maiestatis intonuit* [i] ?
Et de ipso sacramento plenius dixit : *Parasti in conspectu
meo mensam ; inpinguasti in oleo caput meum, et poculum
30   tuum inebrians quam praeclarum est* [j].

XIII, **60.** Merito ergo istic quoque exultans ait : *Auditui
meo dabis gaudium et laetitiam et exultabunt ossa humiliata* [a].
Probasti, domine Iesu, quia numquam tua uerba praete-
reunt [b], probasti illud euangelicum quod dixisti : *Multi
5   prophetae et iusti uoluerunt uidere quae uidetis et audire
quae auditis* [c]. Ecce Dauid solo laetatur auditu, quia futura
esset remissio peccatorum, et prophetat quia *exultabunt
ossa humiliata* [d]. Sicut omnia iusti ossa dicent : *Domine,
quis similis tibi* [e] ? sic *exultabunt ossa humiliata*, humi-
10   liantis scilicet animam suam iusti. Dicuntur ergo ossa uirtutes, dicuntur ossa uelut quidam animi motus uel animae,
qui motus humiliantur peccatis, exultant gratiae caelestis
munere.

59, 27 maiestatis intonuit *KRB"G* : maiestatis *Bs* ‖ **60,** 1 ergo
istic quoque *RB"G* : quoque istic K   ergo istis *Bs*   ‖
2 et ² *KB"G* : om. *BRs* ‖ 9-10 humiliantis *s* : humiliantes
KBRB" fortasse recte humilitatis *G.*

59 i. Ps. 28, 3 ‖ j. Ps. 22, 5. ‖ **60** a. Ps. 50, 10 ‖
b. Cf. Matth. 24, 35 ‖ c. Matth. 13, 17 ‖ d. Ps. 50, 10
‖ e. Ps. 34, 10.

104. Cf. *Expl. Ps. XII*, 35, 19 et 36, 61.
105. ORIGÈNE, dans ms. *Lavra B 83* (communiqué par M. Richard) : « *De
même que tous mes os diront :* ' *Seigneur qui est semblable à toi ?* ' *Ce sont
les os du juste. De même les os humiliés sont ceux de celui qui jeûne.* » Texte qui
se retrouve en partie dans R. CADIOU, *Commentaires inédits...*, p. 83. Comparer
avec ORIGÈNE, *Entretien avec Héraclide, SC* 67, p. 98.

au-dessus des eaux, le Dieu de majesté a fait retentir sa voix de tonnerre [i]. » Et du mystère par excellence[104], il a déclaré plus explicitement encore : « Tu as dressé ta table devant moi, tu as répandu l'huile sur ma tête, et ta coupe qui m'enivre, comme elle est merveilleuse [j] ! »

Verset 10
1º : Les « os » sont
les puissances de l'âme

XIII, **60**. C'est donc à juste titre qu'ici, transporté de joie, il dit aussi : « Tu me feras entendre la joie et l'allégresse et les os humiliés exulteront [a]. » Tu as prouvé, Seigneur Jésus, que jamais tes paroles ne passent [b]. Tu as montré la vérité de cette parole évangélique que tu as prononcée : « Nombre de prophètes et de justes ont voulu voir ce que vous voyez et entendre ce que vous entendez [c]. » Mais voilà que David se réjouit du simple fait d'entendre qu'il y aura une rémission des péchés et il prophétise que « les os humiliés exulteront [d] ». De même que tous les os du juste[105] diront : « Seigneur, qui est semblable à toi [e] ? », de même, « les os humiliés exulteront », à savoir les os du juste qui humilie son âme. Sont appelés os les puissances[106] ; sont appelés os certains mouvements de l'esprit ou de l'âme : ces mouvements sont humiliés par les péchés, mais exultent du don de la grâce céleste.

---

106. DIDYME, *Commentaire sur les Psaumes*, § 542 Mühlenberg : « Souvent les pensées et les *puissances de l'âme* sont appelées ' les os '. Ces os sont *humiliés par le péché*, par la magie sophistique. Mais si Dieu fait entendre la joie et l'allégresse, les *os humiliés exultent*. » Ambroise juxtapose deux exégèses. Si l'on entend par « humiliation », la mortification, les « os », c'est-à-dire l'intérieur, du juste, exulteront lors de la rémission des péchés, c'est une exégèse d'Origène (cf. note précédente). Si l'on entend par « humiliation » la confusion et l'abaissement provoqués par le mal, les « os » correspondront soit aux « puissances de l'âme », c'est-à-dire aux anges, contristés par les fautes de l'âme, soit aux mouvements de l'âme, victime du péché. Humiliés par la chute, ils se réjouiront de la grâce accordée au pécheur. C'est l'exégèse de Didyme, mais elle est probablement elle aussi de provenance origénienne ; cf. ORIGÈNE, *Hom. in Jesu Naue*, XX, I, *SC* 71, p. 408. Voir aussi DIDYME, *Commentaire sur les Psaumes*, § 330 Mühlenberg.

Dicuntur et ossa populi ecclesiarum, unde habes dictum
15 in psalmo : *Non est absconditum os meum, quae fecisti
in abscondito* [f]. Os suum ecclesiam dixit et plebis deuotae
conuentus sacros, *quoniam sumus membra corporis* Christi
de carne ipsius et de ossibus eius [g]. Hoc igitur dicit, quia
ecclesia domini omnia opera diuina cognoscet et fidem
20 resurrectionis accipiet.

61. Sequitur : *Auerte faciem tuam a peccatis meis et
omnes iniquitates meas dele* [a]. Vsitata est deprecatio, ut
eos quos laesimus obliuisci offensionis propriae postulemus.
Moraliter ergo dominum rogat propheta, ut auertat faciem
5 suam a peccatis eius et tamquam obliuia peccatorum
eius adsumat. Sed quia omnia spectat et nihil eum prae-
terit, obliuisci non potest sicut nos, quos breui interuallo
temporis eorum quae cognouimus memoria subterfugit.
Ideo bene ait, ut faciem suam auertat, non ab ipso, ne
10 deficiat destitutus [b], sed a peccatis, ut uires non possint
habere peccata ipsius. Quos enim aspicit dominus inluminat
et in uultu domini [c] pietas atque indulgentia est. Ideoque
hic ipse ait : *De uultu tuo iudicium meum prodeat* [d] ; de
uultu enim domini uenia, non poena procedit. Rogandus
15 est ergo, ut nos aspiciat, auertat autem faciem suam a
peccatis nostris, ut deleat ea [e]. Quae enim non aspicit

60, 15 quae *KRBs* : quod *B"G* ‖ 16 abscondito *BGs* : abdito *K*
occulto *RB"* ‖ **61,** 4 dominum *KB"G* : deum *BRs* ‖
6 spectat *Schenkl* : espectat *B"* expectat *KBRG* ‖ 15 est
KRB"G : om. *Bs*.

60 f. Ps. 138, 15 ‖ g. Éphés. 5, 30 ; cf. Gen. 2, 23 ‖ **61** a.
Ps. 50, 11 ‖ b. Cf. Ps. 103, 29 ‖ c. Cf. Ps. 66, 2 ;
118, 135 ‖ d. Ps. 16, 2 ‖ e. Cf. Ps. 50, 11.

107. Cf. *Expl. Ps. XII*, 37, 27.
108. Le texte latin est une traduction littérale du grec des LXX :

2⁰ : Les « os » sont les membres de l'Église   Sont appelés aussi os les peuples des églises[107]. C'est pourquoi tu trouves cette parole dans le psaume : « Ce que tu as fait dans le secret n'est pas caché[108] à mon os [f]. » Il a appelé son os, l'Église et les saintes réunions du peuple pieux, car « nous sommes les membres du corps du Christ, de sa propre chair et de ses os [g] ». Il s'exprime ainsi, parce que l'Église du Seigneur connaîtra toutes les œuvres divines et recevra la certitude de la résurrection.

Verset 11 a
Dieu détruit le péché en ne le regardant pas   **61**. Vient ensuite : « Détourne ta face de mes péchés et efface toutes mes iniquités [a]. » Pour demander pardon, habituellement, nous implorons ceux que nous avons blessés pour qu'ils oublient l'offense que nous leur avons faite. Il est donc bien dans le rôle du prophète[109] de prier le Seigneur de détourner sa face de ses péchés et d'accepter, pour ainsi dire, d'oublier ses fautes. Mais parce que Dieu voit toutes choses et que rien ne lui échappe, il ne peut oublier à notre manière à nous, pour qui il suffit d'un court intervalle de temps pour que le souvenir de ce que nous avons connu se dérobe. Aussi est-ce avec raison que David dit à Dieu de détourner son visage non pas de sa personne — de crainte qu'abandonné, il ne soit annihilé [b] —, mais de ses péchés, afin que ses péchés ne puissent plus avoir de forces. Ceux que Dieu regarde, en effet, il les illumine et il y a miséricorde et pardon dans la face du Seigneur [c]. C'est pour cela que notre prophète dit lui-même : « Que mon arrêt sorte de ta face [d] », car de la face du Seigneur, procède le pardon et non pas le châtiment. Il faut donc le prier qu'il nous regarde, mais qu'il détourne sa face de nos péchés, afin de les effacer [e]. Car les choses qu'il

---

Οὐκ ἐκρύβη τὸ ὀστοῦν μου ἀπὸ σοῦ ἃ ἐποίησας ἐν κρυφῇ. Cf. *Expl. Ps. XII*, 37, 27 (où il faut remplacer *quod* par *quae*) et *De fide III*, 14, 110. *Est absconditum* est construit comme *latere aliquem* (VIRGILE, *En.*, I, 130) avec l'accusatif.

109. *Moraliter* : terme de rhétorique pour désigner la qualité d'un discours qui convient au caractère de la personne que l'on met en scène ; il se rapporte à l'*ethopoia*, cf. H. LAUSBERG, *Handbuch der literarischen Rhetorik*, Munich 1960, § 820 s.

delet et quae deleuerit eorum memoria sepelitur, sicut
ipse dominus ait : *Ego sum, ego sum qui deleo iniquitates
tuas, et memor non ero* ; *tu autem memor esto et iudicemur* [t].

62. Peccatum autem aut donatur aut deletur aut tegitur. Donatur per gratiam, deletur per sanguinem crucis,
tegitur per caritatem. Similiter et iniquitas, quae aestimatur habitudo mentis iniustae, licet Iohannes in epistula
5 eum qui fecerit peccatum et iniquitatem fecisse dixerit,
sicut habemus scriptum : *Omnis qui facit peccatum et iniquitatem facit* [a]. Peccatum est iniquitas, quia in peccato
ipso iniquitas est ; tamen, ut nobis uidetur, peccatum opus
est iniquitatis, iniquitas autem operatrix culpae atque
10 delicti. Plus est ergo ut ipsa iniquitas deleatur, excidatur
radix et seminarium peccatorum. Tollatur mala radix,
ne malos fructus faciat [b], aboleatur omnis erroris affectus,
uniuersa iniquitatum genera tollantur. **63.** Itaque quemadmodum intrans in animam sapientiae disciplina inprudentiam tollit et scientia ignorantiam, sic perfecta uirtus
iniquitatem et remissio peccatorum delet omne peccatum.
5 Vnde praeclare apostolus ait quia *donauit nobis peccata*
dominus Iesus *delens chirographum decreti, quod erat con-
trarium nobis, et ipsum*, inquit, *de medio tulit adfigens
illud cruci* [a]. Deleuit sanguine suo atramentum Euae,
deleuit obligationem hereditatis obnoxiae. Fides igitur

61, 17 eorum memoria *K* : et cum memoria *R*   ea memoria *Bs*
memoria *B"G*   ‖   sepelitur *KRB"* : sepelientur *Bs*   sepeliun-
tur *G*   ‖   **62,** 12 omnis erroris *KRB"* : erroris omnis *B Gs*.

61 f. Is. 43, 25-26 (LXX)   ‖   **62** a. I Jn 3, 4   ‖   b. Cf. Matth.
7, 17   ‖   **63** a. Col. 2, 13-14.

---

110. Sur *iniquitas* et *peccatum*, cf. plus haut, n. 57 et 69. Ici l'*habitudo*
correspond à l'*hexis*, ou à la *diathesis*, c'est-à-dire à la disposition durable.

ne regarde pas, il les efface, et des choses qu'il a effacées, le souvenir disparaît, comme le Seigneur lui-même l'a dit : « C'est moi, oui c'est moi qui efface tes iniquités et je n'en aurai plus de souvenir ; mais toi gardes-en le souvenir et allons ensemble en justice [f] ! »

Verset 11 b
L'iniquité,
racine du péché

62. Or le péché est ou bien remis ou bien effacé ou bien caché. Il est remis par le pardon, effacé par le sang de la croix, caché par la charité. Il en va de même pour l'iniquité[110], que l'on tient pour la manière d'être durable d'un esprit qui n'agit pas selon la justice — bien que Jean, dans sa lettre, affirme que celui qui a commis le péché a commis aussi l'iniquité, ainsi que nous le trouvons écrit : « Tout homme qui commet le péché commet aussi l'iniquité [a]. » Il est vrai sans doute que le péché est iniquité, car l'iniquité se trouve précisément dans le péché ; pourtant, à ce qu'il nous semble, le péché est l'œuvre de l'iniquité et l'iniquité est ouvrière de faute et de manquement. C'est donc une chose de plus grande importance que l'iniquité elle-même soit effacée, que soit arrachée la racine et la semence des péchés. Que la mauvaise racine soit enlevée pour qu'elle ne porte pas de mauvais fruits [b] ; que tout attachement à l'erreur soit aboli, que toutes les formes de l'iniquité soient enlevées. 63. C'est pourquoi, de même qu'au moment précis où elles pénètrent dans l'âme[111], la loi de la sagesse chasse la folie et la science expulse l'ignorance, de même la vertu parfaite efface l'iniquité et la rémission des péchés détruit tout péché. C'est pourquoi l'Apôtre dit excellemment que le Seigneur Jésus « nous a remis nos péchés quand il a effacé la cédule du décret qui avait été porté contre nous et quand il l'a, dit-il, fait disparaître en la clouant à la croix [a] ». Par son sang il a effacé la noire encre d'Ève, il a effacé la dette liée à notre héritage coupable[112]. Quant à la foi, elle ôte le

---

111. DIDYME, *Commentaire sur les Psaumes*, § 543 Mühlenberg : « Les péchés sont effacés si nous participons aux vertus. En effet, *de même qu'au moment où elle pénètre dans l'âme, la science* efface et *expulse l'ignorance*, de même la présence de *la vertu parfaite efface tout péché*. »

112. Cf. *De Tobia*, 33.

10   peccatum minuit. Ideo dominus dimittens peccata dicebat :
     Fiat tibi secundum fidem tuam [b].

     XIV, **64.** Sequitur : *cor mundum crea in me, deus, et
     spiritum rectum innoua in uisceribus meis* [a]. Superius
     ab occultis mundari petit [b], hic postulat cor mundum creari
     sibi, quod ei proficit qui renouatur spiritu ; in nouo enim
5   homine cor mundum est, in quo ueterum delictorum fuerit
     deleta conluuies [c] nec inscripta remanserit aliqua iniquitatis
     effigies. Grande autem munus cordis est emundatio. Vnde
     pulcre Solomon : *Quis gloriabitur castum se habere cor* [d] ?
     et dominus in euangelio : *Beati mundo corde* ; *ipsi enim*
10   *deum uidebunt* [e]. Propterea etiam Dauid cor mundum
     habere cupiebat, ne a facie domini proiceretur [f]. **65.** In
     quo autem cor mundum est, innouatur in eius interio-
     ribus spiritus. Viscera enim uelut interiora sunt animae ;
     sicut enim uiscera interiora sunt corporis, ita sunt et interiora
5   intellegibilia uiscera animae, ut sunt *uiscera misericor-
     diae* [a], ut sunt interiora quae in eo sunt, in quibus ait :
     *Benedic, anima mea, dominum et omnia interiora mea
     nomen sanctum eius* [b]. Viscera autem animae adinuentiones
     sensuum sunt, bonae cogitationes, studia uirtutum, per-
10   seuerantia, postremo illae quae graece ἔννοιαι dicuntur.

     63, 10 ideo *KRB"G* : et ideo *Bs*   ‖   **64**, 3 ab occultis mun-
     dari *KR* : mundari ab occultis *BB"Gs*   ‖   4 proficit *K* : pro-
     cedit *RB"G* prouenit *Bs*   ‖   7 est emundatio *K* : esse mundi
     BRB"Gs   ‖   **65**, 3-5 uelut interiora sunt animae sicut
     enim uiscera (uiscera enim *B"*[ac]) interiora sunt corporis ita sunt
     et interiora (interiora *om. B"*) intellegibilia *KB"* : uelut interiora
     sunt corporis ita sunt et intellegibilia *BRGs*   ‖   6 quae
     in eo sunt in *K* : quae benedicunt dominum de *BRB"Gs*   ‖   9
     cogitationes *KRB"G* : cogitationis *Bs*.

     63 b. Matth. 9, 29   ‖   **64** a. Ps. 50 12   ‖   b. Cf. Ps.
     18, 13   ‖   c. Cf. Éphés. 4, 22-24   ‖   d. Prov. 20, 9 (LXX)
     ‖   e. Matth. 5, 8   ‖   f. Cf. Ps. 50, 13   ‖   **65** a. Col.
     3, 12   ‖   b. Ps. 102, 1.

     113. DIDYME, *Commentaire sur les Psaumes*, § 544 Mühlenberg : « Si tu
     effaces tous mes péchés *gravés* par leurs *empreintes* dans mon cœur, tu crées
     un cœur en moi, libéré de toute malice, tu renouvelles un esprit de rectitude

péché. C'est pourquoi le Seigneur disait, quand il remettait les péchés : « Qu'il te soit fait selon ta foi [b]. »

Verset 12   XIV, **64**. Vient ensuite : « Crée
L'infusion de l'Esprit Saint en moi un cœur pur, ô Dieu, et
                                 renouvelle un esprit droit dans
mes entrailles [a]. » Plus haut, il demande d'être purifié de ses
fautes cachées [b] ; ici, il supplie que soit créé en lui un cœur
pur, ce que gagne celui qui est renouvelé en esprit. Chez
l'homme nouveau, en effet, le cœur est pur, puisqu'en lui est
effacée la souillure des vieilles fautes [c] et que n'y demeure
imprimée aucune trace d'iniquité[113]. Or c'est un grand privilège
que la purification du cœur[114]. C'est pourquoi Salomon a dit
d'une manière très belle : « Qui se glorifiera d'avoir le cœur
pur [d] ? » Et le Seigneur, dans l'Évangile : « Bienheureux ceux
dont le cœur est pur, car ils verront Dieu [e]. » C'est pour cette
raison aussi que David désirait avoir un cœur pur, afin de
n'être pas rejeté loin de la face du Seigneur [f]. **65**. Or chez celui
dont le cœur est pur, l'esprit est renouvelé en son intérieur.
Car les entrailles sont comme l'intérieur de l'âme[115] ; de même,
en effet, que les entrailles sont l'intérieur du corps, de même
les entrailles spirituelles sont l'intérieur de l'âme, telles les
« entrailles de la miséricorde [a] », tel l'intérieur qui est en David,
dans lequel il dit : « Bénis, ô mon âme, le Seigneur et que tout
mon intérieur bénisse son saint nom [b]. » Les entrailles de
l'âme [116], ce sont les exercices de découverte des sens (de l'Écriture), les bonnes pensées, la pratique des vertus, la constance,
enfin ce que l'on appelle en grec ἔννοιαι[117], les conceptions.

en mon intérieur. » Ici encore nous sommes en présence d'un thème origénien :
cf. plus haut, n. 63 (quorum in semet ipsa *signa* ac formas, cum peccaret,
expresserat).

114. Cf. *Exp. Ps. CXVIII*, 8, 21 : « Emunda igitur cor tuum ut quasi nouus
creeris renouato spiritu. »

115. ORIGÈNE, dans R. CADIOU, *Commentaires inédits...*, p. 84 : « *Les entrailles spirituelles, dont il est dit : ' Bénis, ô mon âme, le Seigneur et que tout
mon intérieur bénisse son saint nom '.* »

116. DIDYME, *Commentaire sur les Psaumes*, § 544 Mühlenberg : « *Les
entrailles de l'âme sont les bonnes pensées*, les sages distinctions, au sujet des-
quelles il est dit : ' *Et que tout mon intérieur bénisse son nom '.* »

117. Le mot est probablement un souvenir de Didyme (cf. note précédente).

66. Rectus autem spiritus [a], qui bene dirigit, qui deducit
in uiam rectam [b], hic est *spiritus ueritatis* [c] uel certe recta
hominis conscientia nullis inflexa peccatis uel spiritus
qui in homine est [d]. Non praetermisimus quid alii sen-
5 tiant ; tamen nobis uidetur, quoniam de mysteriis dicit
lectio et futurae gratia renouationis exprimitur, spiritus
sancti infusio postulari.

67. Denique sequitur : *Ne proicias me a facie tua et*
spiritum sanctum tuum ne auferas a me [a]. Si quis nos offen-
derit seruulorum, auertere ab eo uultum solemus. Plerique autem diuitum ⟨a⟩mendare consuerunt mancipia
5 sua et per agellulos relegare, et haec poena grauior aestimatur. Denique solent magis se offerre uerberibus. Si
apud homines hoc graue ducitur, quanto magis apud
dominum deum nostrum. Quasi non hinc dolor parricidalis,
reprimendus quidem, si qua eum pietas temperare potuisset,
10 eruperit, quod faciem suam deus a Cain muneribus auertit,
respexit autem super munera Abel. Itaque tacito uultu
alterum innocentem pronuntiauit, alterum peccatorem [b].
Ergo quasi ultimus seruus humiliat se et quasi in peccato
deprehensus et offensae reus obsecrat, ut flagelletur potius
15 quam proiciatur a facie domini. **68.** Quomodo proiciat

66, 5 *post* uidetur *inseruit Schenkl* quod *sed perperam*   ‖   7 postulari *KRB''G* : postulatur *Bs*   ‖   **67,** 4 ⟨a⟩mendare *Schenkl* :
emendare *KBRB''G*   ‖   consuerunt *KBG* : consueuerunt *RB''s*.

66 a. Cf. Ps. 50, 12   ‖   b. Cf. Ps. 142, 10   ‖   c. Jn 15, 26
‖   d. Cf. I Cor. 2, 11   ‖   **67** a. Ps. 50, 13   ‖   b. Cf.
Gen. 4, 3-5.

118. DIDYME, *Commentaire sur les Psaumes*, § 544 Mühlenberg : « Mais
l'Esprit droit, c'est ou bien l'Esprit Saint ou la droite conscience de l'homme
ou bien ce que l'on appelle l'esprit qui est en l'homme. »
119. Sur cette construction (*uidetur... infusio... postulari*), cf. A. ERNOUT -
Fr. THOMAS, *Syntaxe latine*, § 330.

66. Mais l'Esprit[118] droit [a], c'est-à-dire celui qui dirige bien, qui mène dans la voie droite [b], c'est « l'Esprit de vérité [c] » ou, à tout le moins, la droite conscience de l'homme qu'aucun péché n'a fait dévier, ou l'esprit qui est en l'homme [d]. Nous n'avons pas voulu omettre ce que pensent d'autres auteurs, mais, à notre sentiment, puisque ce texte parle des mystères et qu'y est exprimée la grâce du renouvellement futur, c'est l'infusion de l'Esprit Saint qui y est demandée[119].

Verset 13 **67.** C'est pourquoi il est dit ensuite :
L'exil loin de Dieu « Ne me rejette pas loin de ta face ; ne me retire pas ton Esprit Saint [a]. » Si l'un de nos esclaves nous a offensés, nous avons l'habitude de détourner de lui notre visage[120]. Et la plupart des riches ont l'habitude de reléguer[121] leurs esclaves et de les envoyer loin d'eux sur de misérables terres, ce qui est considéré comme un châtiment très sévère. Par suite, ces esclaves préfèrent, en général, subir la peine du fouet. Si donc l'on regarde cela comme grave quand il s'agit des hommes, à combien plus forte raison quand il s'agit du Seigneur notre Dieu. N'est-ce pas de là qu'a jailli le ressentiment de celui qui devait être le meurtrier de son frère — ressentiment qu'il eût dû certes réprimer si quelque sentiment du devoir avait pu le modérer — du fait, je veux dire, que Dieu détourna sa face des présents de Caïn, tandis qu'il abaissa ses regards sur les présents d'Abel[122] ? Et c'est ainsi que, sans que son visage parlât, il déclara l'un innocent, l'autre pécheur [b]. Aussi David s'humilie-t-il comme le dernier des esclaves et, comme quelqu'un qui a été pris en flagrant délit de péché et qui est punissable pour une offense, il demande en grâce d'être flagellé plutôt que rejeté loin de la face du Seigneur. **68.** Quant à savoir de quelle façon Dieu nous rejette

---

120. ORIGÈNE, dans R. CADIOU, *Commentaires inédits...*, p. 84 : « L'expression ' Ne me rejette pas loin de ta face ' est employée par analogie avec le fait que des hommes sont éloignés *de la face* de leurs souverains ou de leurs maîtres. »

121. Allusion à l'*amandatio rusticana* : cf. CICÉRON, *Pro Roscio Amer.*, 44. Voir *Expl. Ps. XII*, 36, 20 : « Adam ... de paradiso eiectus in castellum est relegatus » et 38, 36.

122. Cf. *Exp. Ps. CXVIII*, 17, 12-13.

deus a facie sua audi dicentem : *Tollite illum in tenebras exteriores* ; *ibi erit fletus et stridor dentium* ᵃ. Qui ⟨a⟩mendatur a facie eius in tenebris constitutus est. Ideo iustus,
5 ne tenebras patiatur, ait : *Vultum tuum, domine, requiram* ᵇ. Vbi enim domini uultus ibi lumen est, sicut scriptum est : *Faciem tuam inlumina super seruum tuum* ᶜ. Denique ubi primum intuitus Petrum uidit, et inluminauit ᵈ.
69. Grande igitur supplicium proici a facie domini. Proiectus est Adam cum de paradiso exiret ᵃ nec inmerito ; ipse enim se ante absconderat a facie dei ᵇ. Exiuit et Cain a facie dei ᶜ non solum post parricidale commissum, sed etiam
5 postquam deum putauit esse fallendum, ut crimen negaret ᵈ. Peccator igitur excluditur a facie dei, iustus autem dicit : *Ecce ego* ᵉ. Denique ipse Dauid cum uideret interire populum, semet ipsum optulit dicens : *Ecce sum, ego peccaui et ego pastor male feci* ᶠ, et sic ira domini mitigata est et
10 uenia donata ᵍ.

70. Simul ostendit quia sancti permanent, criminosi proiciuntur. Ideoque seruanda est nobis gratia spiritalis, ne propter peccata nostra auferatur a nobis. Non enim proicitur in quo sanctus est spiritus, sed inoffenso muneris
5 sui fructu studet se domino semper offerre, sicut ille qui dicenti domino : *Numquid et uos uultis discedere* ? respondit : *Domine, ad quem ibimus* ? *Verba uitae aeternae habes, et nos credimus* ᵃ. **71.** Simul illud considerandum, quia

---

68, 3 qui ⟨a⟩mendatur *conieci* : qui emendatur *KR*   qui non emendatur *Bs*   quia qui proicitur *B"G*   ‖   4 constitutus est *B"* : constitutus *KRG*   constituitur *Bs*   ‖   **69,** 1 domini *KB"G* (*cf.* **67,** 15) : dei *BRs*   ‖   2 cum de paradiso exiret *KRB"G* : de paradiso *Bs*   ‖   **70,** 7 domine *KRB"G* : om. *Bs*.

68 a. Matth. 22, 13   ‖   b. Ps. 26, 8   ‖   c. Ps. 118, 135   ‖ d. Cf. Lc 22, 61   ‖   **69** a. Cf. Gen. 3, 24   ‖   b. Cf. Gen. 3, 8   ‖ c. Cf. Gen. 4, 16   ‖   d. Cf. Gen. 4, 8-9   ‖   e. I Sam. 3, 4 ; cf. Is. 6, 8   ‖   f. II Sam. 24, 17 (LXX)   ‖   g. Cf. II Sam. 24, 25   ‖   **70** a. Jn 6, 67-69.

loin de sa face, écoute ces paroles : « Emportez-le dans les
ténèbres extérieures ; là il y aura des pleurs et des grincements
de dents [a]. » Celui qui est relégué loin de sa face, se trouve
placé dans les ténèbres. Aussi le juste dit-il, pour n'avoir pas
à subir le châtiment des ténèbres : « Seigneur, je rechercherai
ta face [b]. » Là en effet où est la face du Seigneur, là est la lumière,
comme il a été écrit : « Fais resplendir ta face sur ton serviteur [c]. » C'est ainsi que, dès que son regard tomba sur Pierre,
il l'illumina [d]. **69.** C'est donc un terrible supplice que d'être
rejeté loin de la face du Seigneur. Ainsi fut rejeté Adam, lorsqu'il
sortit du paradis [a] et ce ne fut pas sans l'avoir mérité[123], car
il s'était lui-même caché loin de la face de Dieu [b]. Caïn lui
aussi s'éloigna de la face de Dieu [c], non seulement après avoir
tué son frère, mais encore quand il estima qu'il devait mentir
à Dieu pour nier son crime [d]. Le pécheur est donc écarté de
la face de Dieu, mais le juste dit : « Me voici [e] ! » C'est ainsi
que David lui-même, voyant son peuple mourir, s'offrit lui-
même en disant : « Me voici, c'est moi qui ai péché et c'est
moi le berger qui ai fait le mal [f]. » C'est ainsi que la colère de
Dieu s'apaisa et que le pardon fut accordé [g].

70. David montre dans le même temps que les saints demeurent et que les coupables sont rejetés[124]. C'est pour cela que
la grâce spirituelle doit être conservée par nous, de peur qu'elle
ne nous soit enlevée à cause de nos péchés. Car celui en qui
habite l'Esprit Saint n'est pas repoussé, mais il s'attache à
rester dans la présence du Seigneur de manière à ce que la
jouissance du don qu'il a reçu ne soit pas troublée, comme
celui qui, à la question du Seigneur : « Est-ce que vous voulez
vous aussi vous en aller ? », répondit : « A qui irions-nous,
Seigneur ? Tu as les paroles de la vie éternelle et nous croyons [a]. »
71. Il faut en même temps considérer que l'Esprit ne nous est

---

123. Cf. *Exp. Ps. CXVIII*, 15, 31.
124. DIDYME, *Commentaire sur les Psaumes*, § 545 Mühlenberg : « Alors que
les sages *demeurent* sans cesse en présence du visage de Dieu, seul *le coupable
est rejeté* et banni loin de lui. »

non aufertur spiritus nisi domini uoluntate, sicut non datur nisi domini uoluntate. Qui utique cum datur, non quasi coactus operatur, sed pro sua uoluntate diuiditur,
5 sicut scriptum est dicente apostolo : *Haec autem omnia operatur unus atque idem spiritus diuidens singulis prout uult* [a]. Cum igitur non auferatur nisi domini uoluntate, apparet quia una trinitatis uoluntas est.

XV, **72.** *Redde mihi laetitiam salutaris tui et spiritu principali confirma me* [a]. Cui debetur et redditur ; redditur rationabili naturae laetitia salutaris. Laetitia autem et gaudium fructus est spiritus [b] ; firmamentum quoque nos-
5 trum spiritus principalis est. Meritoque is qui principali confirmatur spiritu non est obnoxius seruituti, nescit seruire peccato [c], nescit fluitare, nescit errare [d] nec studio nutat incerto [e], sed firmatus in petra [f] solido stabilitur uestigio.

73. Quem putamus dici spiritum principalem ? Plerique spiritum rectum [a] ad dominum referunt Iesum, qui pecca-

---

72, 5 meritoque *KRB"G* : denique *Bs* ‖ 8 incerto *KRB"G* : incertus *Bs*.

71 a. I Cor. 12, 11 ‖ **72** a. Ps. 50, 14 ‖ b. Cf. Gal. 5, 22 ‖ c. Cf. Rom. 6, 6.17.20 ‖ d. Cf. Éphés. 4, 14 ‖ e. Cf. Jac. 1, 6 ‖ f. Cf. Matth. 7, 25 ‖ **73** a. Cf. Ps. 50, 12.

125. ORIGÈNE, dans R. CADIOU, *Commentaires inédits...*, p. 84 : « Et l'Esprit Saint ne sort pas de l'homme, sans Dieu qui le retire à ceux qu'il juge. »
126. Cf. *De fide*, II, 6, 48 ; *De sacram.*, VI, 2, 9.
127. ORIGÈNE, dans ms. *Lavra B 83* (texte communiqué par M. Richard) : « *On rend à celui auquel on doit* quelque chose. *On rend* donc *à la nature raison-nable l'allégresse* du Dieu sauveur. »

pas enlevé à moins que le Seigneur ne le veuille[125], tout comme il ne nous est accordé que s'il le veut. Et, quand il est accordé, ce n'est pas comme un être qui subit une contrainte qu'il agit, mais c'est en fonction de sa propre volonté qu'il se partage comme dit l'Apôtre dans l'Écriture : « Toutes ces choses sont l'œuvre d'un seul et même Esprit qui donne à chacun sa part, comme il le veut [a]. » Donc, puisque l'Esprit ne nous est enlevé que par la volonté de Dieu, il est évident que la volonté de la Trinité est une[126].

Verset 14 b
Le Père,
le Fils et l'Esprit Saint

XV, **72**. « Rends-moi l'allégresse de ton salut et affermis-moi par l'Esprit souverain [a]. » On rend à celui auquel on doit[127]. Voici que l'on rend à la nature raisonnable l'allégresse du salut. Or l'allégresse et la joie sont les fruits de l'Esprit [b]. Et l'Esprit souverain est ce qui nous affermit. C'est donc à bon droit que celui qui est affermi par l'Esprit souverain n'est pas assujetti à la servitude[128], ignore l'esclavage du péché [c], ignore la fluctuation, ignore l'erreur [d], ne demeure pas hésitant [e], dans l'incertitude de ses sentiments, mais, fondé sur le roc [f], il se tient sur des pieds solidement assurés.

73. Qui croyons-nous que désigne l'Esprit souverain ? La plupart[129] rapportent l'Esprit droit [a] au Seigneur Jésus qui a

128. ORIGÈNE, dans ms. *Lavra B 83* (texte communiqué par M. Richard) : « *Celui qui est affermi par l'Esprit souverain ignore l'esclavage du péché... Tout d'abord le cœur pur est créé*, ensuite en lui *l'Esprit droit est renouvelé dans les entrailles et cela, sans que soit retiré l'Esprit Saint*, en quelque manière que ce soit. Ensuite, après ces deux 'Esprits', c'est grâce à *l'Esprit souverain que l'on est affermi par Dieu afin d'être solide et inébranlable* » (voir aussi *PG* 12, col. 1456 CD). Le rapprochement entre Ambroise, §§ 72-73 et Origène a été fait par H.-Ch. PUECH, « Origène et l'exégèse trinitaire du psaume 50, 12-14 », dans *Aux sources de la tradition chrétienne. Mélanges M. Goguel*, Paris 1950, p. 180-194.

129. ORIGÈNE, dans ms. *Lavra B 83* (texte communiqué par M. Richard) : « *A la suite de cela*, à propos des trois Esprits j'observe que peut-être, par suite de ce qui en est de *l'Esprit Saint*, *l'Esprit droit se rapporte au Sauveur*, *l'Esprit souverain au Père*, car le premier *renouvelle*, le second *affermit* » (voir aussi *PG* 12, col. 1456 CD. Cf. H.-Ch. PUECH, *op. cit.*, p. 189).

tum mundi abstulit [b] et omne hominum genus sui sanguinis
effusione renouauit. Et ideo dictum est : *Et spiritum rectum*
5   *innoua in uisceribus meis* [c]. Spiritum autem sanctum, de
quo dicit : *Et spiritum sanctum tuum ne auferas a me* [d],
spiritum intellegunt *ueritatis* [e], spiritum uero principalem
deum patrem arbitrantur. Quam moraliter autem ait :
Ne proicias me a facie tua [f]. Fideliter timet auferri sibi quam
10   accepit gratiam. Ideoque alibi ait : *Oculi mei semper ad*
dominum [g], et in posterioribus : *Ecce sicut oculi seruorum*
in manibus dominorum suorum et sicut oculi ancillae in
manibus dominae suae ita oculi nostri ad dominum deum
nostrum, donec misereatur nobis [h]. Certe hic est spiritus duc-
15   tor et princeps, qui regat mentem, confirmet adfectum,
quo uelit trahat, in superiorem uiam dirigat [i]. **74.** Sunt
et qui spiritum acceperint hominis, qui in ipso est. De
eo ait apostolus : *Quis enim scit hominum quae hominis*
sunt nisi spiritus, qui in ipso est [a] ? Qui potest scire omnia,
5   quem hominis occulta non fallunt [b] potest habere in homine
principatum.

XVI, **75.** Sequitur : *Docebo iniquos uias tuas et inpii ad te*
conuertentur [a]. Ille praecipuus gubernator, qui scopuloso in

73, 4 dictum est et *KB''* : dictum est *R*   dictum et *Bs*   dictum *G* ‖ 14 ductor *K* : doctor *RB''G*   auctor *Bs* ‖
16 uiam *KR* : uitam *BB''Gs*.

73 b. Cf. Jn 1, 29 ‖ c. Ps. 50, 12 ‖ d. Ps. 50, 13 ‖ e.
Jn 15, 26 ‖ f. Ps. 50, 13 ‖ g. Ps. 24, 15 ‖ h.
Ps. 122, 2 ‖ i. Cf. Ps. 138, 24 ‖ **74** a. I Cor. 2, 11 ‖
b. Cf. Ps. 43, 22 ; 93, 11 ; I Cor. 3, 20 ; Rom. 2, 16 ‖ **75** a. Ps.
50, 15.

130. Cf. plus haut, n. 109.
131. DIDYME, *Commentaire sur les Psaumes*, § 545 Mühlenberg : « Dans
ces textes aussi il emploie ' esprit ' en un double sens : ou bien l'*Esprit Saint,
notre conducteur et notre guide*, ou bien *l'esprit de l'homme qui est en lui*, différent
de l'âme de l'homme. Cet *Esprit souverain*, selon la première exégèse, donne
stabilité et fixité à ceux en qui il est présent. » Ambroise juxtapose donc deux
exégèses différentes des versets 12 à 14 du psaume 50. Au § 73, à la suite

effacé le péché du monde ^b et rénové tout le genre humain par
l'effusion de son sang. Et c'est pourquoi il a été dit aussi : « Et renouvelle un esprit droit dans mes entrailles ^c. » Pour ce qui
est de l'Esprit Saint, à propos duquel le prophète dit : « Ne
me retire pas ton Esprit Saint ^d », c'est « l'Esprit de vérité ^e »
qu'ils entendent, mais par l'Esprit souverain, ils entendent
Dieu le Père. Comme alors il convient bien au caractère de la
personne de David[130] de dire : « Ne me repousse pas loin de
ta face ^f » ! Dans sa foi, il redoute de se voir enlever la grâce
qu'il a reçue. Et c'est pour cela qu'il dit ailleurs : « Mes yeux
demeurent toujours tournés vers le Seigneur ^g. » Et dans un
psaume postérieur : « Vois : comme les yeux d'esclaves tournés
vers les mains de leurs maîtres et comme les yeux de servantes
tournés vers les mains de leurs maîtresses, ainsi nos yeux sont
tournés vers le Seigneur notre Dieu en attendant qu'il ait
pitié de nous ^h. » Certainement, c'est bien là l'Esprit[131] qui
est notre conducteur[132] et notre guide, capable de diriger notre
esprit, de stabiliser notre amour, de nous entraîner là où il
veut, de nous mener dans la voie d'en haut ⁱ. **74**. Il en est aussi
pour estimer qu'il s'agit de l'esprit de l'homme qui est en lui.
L'Apôtre dit à son sujet : « Qui, en effet, parmi les hommes,
connaît ce qui est de l'homme, si ce n'est l'esprit qui est dans
l'homme ^a ? » Mais celui qui peut connaître toutes choses,
celui que ne peuvent tromper les secrets de l'homme ^b, celui-là
peut tenir la souveraineté dans l'homme.

Verset 15 a   XVI, **75**. Vient ensuite : « J'ensei-
La conversion des impies   gnerai tes voies aux méchants et
les impies vers toi feront retour ^a. »
C'est un pilote hors pair celui qui sait gouverner un navire le

d'Origène, il identifie le *spiritum rectum* du verset 12 b avec le Fils, le *spiritum
sanctum* du verset 13 b avec l'Esprit Saint, et le *spiritum principalem* du verset
14 b avec le Père. Mais dans le commentaire qu'il donne du verset 12 b (§ 66)
et dans la suite du commentaire du verset 14 (§ 73 *in fine*), il identifie, cette
fois à la suite de Didyme, le *spiritum rectum* et le *spiritum principalem*, soit
avec l'Esprit Saint, soit avec l'esprit qui est dans l'homme (l'*hégémonikon*
de l'âme).

132. *Ductor* (leçon du manuscrit *K*) correspond à ἄρχον, *princeps* (différent de *principalis*, qui traduit ἡγεμονικόν) correspond à ἡγεμονεῦον,
les deux termes se trouvant dans le texte de Didyme.

litore nauem gubernat, ille doctor bonus, qui duriora acuit
ingenia ad eruditionis profectum, ille bellator egregius, dux
5 mirabilis, qui timidiores accendit in proelium et exploratis
locorum fulcit ingeniis, ut infirma uirium commodae statio-
nis oportunitate conpenset : ille similiter magnus etiam fidei
praedicator, qui iniquos docet. Vnde pulchre ait : *Docebo
iniquos*. Non dixit : docebo iustos — norunt enim iusti
10 uias domini [b] —, sed *iniquos*, inquit, *docebo*. Denique
auctor prudentiae et magister omnium dicit : *Non ueni
uocare iustos, sed peccatores* [c]. Et medicus ille caelestis :
Non opus est sanis, inquit, *medicus, sed infirmis* [d].

76. Siue igitur ex persona illius qui gentes uocauit siue
ex sua bene posuit : *Docebo iniquos* [a], quia commutare inti-
mos adfectus potest propositumque conuertere doctrina
caelestis et operatio diuina sacrilegis pectoribus studia
5 pietatis infundere, ut hi qui sine lege [b] uiuebant conuer-
tantur [c] ad deum uerum, qui ante auertebantur, regalis
quoque exemplo paenitentiae hi qui iniquitates et acerba
exercent flagitia corrigantur et fide atque opere conuersi
doctrinae remedium salutaris accipiant, ingrediantur domini
10 uias, in quibus nullus erroris anfractus, nulla deuerticula
praecipitis prolapsionis offendant. Sicut enim bonae uitae

75, 9 norunt *KB^{ac}B"G* : nouerunt *Bpcs* ‖ 12 uocare iustos
KRB"G : iustos uocare *Bs* ‖ **76**, 6 deum *KR* : dominum
BB"Gs ‖ 7 hi *KR* : *om. BB"Gs* ‖ 10 nullus *KRB"* :
nullos *BGs*.

75 b. Cf. Ps. 26, 11 ; Os. 14, 10 ‖ c. Matth. 9, 13 ‖ d. Matth.
9, 12 ‖ **76** a. Ps. 50, 15 ‖ b. Cf. Rom. 2, 12 ‖ c. Cf.
Ps. 50, 15.

133. *Offendant*, verbe transitif, employé absolument : cf. A. ERNOUT -
Fr. THOMAS, *Syntaxe latine*, § 233.

long d'un littoral plein d'écueils, un maître de qualité celui
qui sait affiner les esprits les plus grossiers et les faire avancer
dans la voie de l'éducation, un guerrier d'élite, un chef admirable, celui qui sait enflammer les plus timides pour les jeter
dans la bataille et qui sait les soutenir par sa connaissance
approfondie de la nature des terrains, connaissance qui lui
permet de compenser l'insuffisance de ses forces par le choix
de positions favorables. De la même manière, c'est un grand
prédicateur de la foi, celui qui sait enseigner aux méchants.
C'est pourquoi il dit excellemment : « J'enseignerai aux
méchants. » Il ne dit pas : j'enseignerai aux justes — car les
justes connaissent les voies du Seigneur [b] —, mais : « C'est
aux méchants, dit-il, que j'enseignerai. » Enfin la source de la
sagesse et notre maître à tous déclare : « Je ne suis pas venu
appeler les justes, mais les pécheurs [c] » ; et ce médecin venu
du ciel nous dit : « Ce ne sont pas les gens bien portants qui
ont besoin de médecin, mais les malades [d]. »

Verset 15 b **76.** Qu'il parle au nom de celui qui a
Le retour à Dieu appelé les nations ou qu'il parle en son
propre nom, il a affirmé excellemment :
« J'enseignerai aux méchants [a]. » Car l'enseignement céleste
peut transformer les dispositions intimes et changer les intentions, et l'opération divine peut répandre dans les cœurs sacrilèges l'amour de la piété, en sorte que des hommes qui vivaient
sans loi [b] fassent retour [c] vers le vrai Dieu, eux qui auparavant
s'en étaient détournés et qu'à l'exemple aussi du roi repentant,
ceux qui se livrent à l'iniquité et à de graves turpitudes
s'amendent et, convertis dans la foi et dans l'action, reçoivent
le remède de la doctrine du salut, entrent dans les voies du
Seigneur, ces voies dans lesquelles ne se rencontrent[133] ni détour
qui conduit à l'erreur, ni chemins écartés qui mènent à la chute
dans l'abîme. En effet, de même[134] que nous avons un exemple

---

134. DIDYME, *Commentaire sur les Psaumes*, § 547 Mühlenberg : « *De même
que l'on a comme exemple et modèle de vie parfaite* ceux qui ont une vie parfaitement droite, *de même ceux qui sont tombés dans le domaine de la gnose ont à
imiter* celui qui est parvenu à la pénitence, eux qui sont des ' impies qui font
retour ' vers Dieu. »

specimen et uirtutis exemplar in his uiris est, qui inoffensa
uitae suae tempora percurrerint, ita qui ante actis renuntiantes flagitiis uel incredulitatis erroribus emendauerint
15 cursum posterioris aetatis iis ad imitandum propositi sunt
qui uel opere uel cognitione labuntur.

77. Sequitur : *Libera me de sanguinibus, deus deus salutis
meae* [a]. Et ad Vri mortem potest referri [b], quod mandatae
necis eius conscius ueniam tanti poscat admissi et quamuis
rex legibus absolutus suae tamen reus sit conscientiae.
5 Quibus uinculis se enodare desiderans diuinum sibi precatur
auxilium, ut ab omni criminis perpetrati labe mundetur.
Et reuera cum mitis et corde mansuetus [c] egregia semper
dederit sanctus propheta suae mansuetudinis et pietatis
insignia [d], ita ut aduersariis suis frequenter ignouerit atque
10 ab eorum nece putauerit abstinendum [e], non est mirum
quod tam grauiter doleat fundendi sanguinis innoxii sibi
obrepsisse peccatum. Ideo liberari se a sanguinibus [f],
hoc est a peccatis mortalibus postulauit.

Laudauit dominum deum suum, iustitiam domini prae-
15 dicauit ideoque addidit : *Exultabit lingua mea iustitiam
tuam* [g]. XVII, **78.** *Domine, labia mea aperies, et os meum
adnuntiabit laudem tuam* [a]. Qui enim laudat dominum

76, 13 percurrerint *RB"G* : percurrerent *K*   percucurrerint *Bs* ||
16 cognitione *KBR* (γνῶσιν *Didymus*) : cogitatione *B"Gs* ||
78, 1-2 domine — laudem tuam *om. B".*

77 a. Ps. 50, 16 || b. Cf. II Sam. 11, 14-16 || c. Cf.
Matth. 11, 29 || d. Cf. I Sam. 30, 21-25 || e. Cf. II
Sam. 19, 16-24 || f. Cf. Ps. 50, 16 || g. Ps. 50, 16 ||
78 a. Ps. 50, 17.

---

135. DIDYME, *Commentaire sur les Psaumes*, § 548 Mühlenberg : « Puisque, à
cause des fautes mortelles que j'ai commises, je suis rempli de sang, délivre-
moi de ces fautes, toi qui es, une fois pour toutes, Dieu et notre Dieu. Peut-être
aussi que David demande d'être purifié par le Dieu qui est le Dieu de son salut,
de ce qu'il a fait *à Urie* et aux autres, si quelques-uns sont morts avec celui-

de vie droite et un modèle de vertu dans les hommes qui auront parcouru sans tomber tout le temps de leur existence, de même ceux qui, renonçant aux turpitudes commises auparavant ou aux erreurs de l'incrédulité, ont amendé le cours du reste de leur vie, sont proposés en exemple à ceux qui tombent dans le domaine de l'action ou de la connaissance.

Verset 16 a
Souvenir du meurtre d'Urie

77. Vient ensuite : « Délivre-moi du sang, ô Dieu, Dieu de mon salut [a]. » Ces mots peuvent aussi se rapporter à la mort[135] d'Urie [b]. David, conscient du meurtre qu'il avait ordonné, demande le pardon d'un tel forfait et, bien qu'il soit affranchi des lois en tant que roi, sa propre conscience ne l'en accuse pas moins. Désirant se libérer de ces liens, il implore le secours divin, afin d'être purifié de toute la souillure attachée au crime qu'il a commis. Et de fait, comme le saint prophète, doux et humble de cœur [c], avait toujours donné de remarquables preuves de sa mansuétude et de sa bonté [d], au point de pardonner souvent à ses ennemis et d'estimer qu'il devait s'abstenir de les faire mourir [e], il n'est pas étonnant qu'il souffre si violemment de s'être laissé aller à commettre le péché de verser le sang innocent. C'est pour cela qu'il a demandé d'être délivré du sang [f], c'est-à-dire des péchés mortels[136].

Verset 16 b
Seul le juste
peut louer Dieu

Il a chanté les louanges du Seigneur son Dieu, il a publié la justice du Seigneur ; c'est pourquoi il a ajouté : « Ma langue, dans l'allégresse exultera pour ta justice [g]. » XVII, **78.** « Tu ouvriras mes lèvres, Seigneur, et ma bouche annoncera ta louange [a]. » Celui qui loue le Seigneur sera délivré

ci. » — Dans les lignes qui suivent, l'allusion (« bien qu'il soit affranchi des lois en tant que roi, sa propre conscience ne l'en accuse pas moins ») peut viser Théodose.

136. ORIGÈNE, dans R. CADIOU, *Commentaires inédits...*, p. 85 : « David peut dire cela comme ' homme de sang '. Mais il peut le dire aussi comme il est dit : ' Tout homme qui est responsable de quelque sang ' ou bien absolument ou bien du fait d'avoir été cause de *péché mortel* pour quelqu'un. » Origène fait allusion ici aux expressions scripturaires « homme de sang » (*Ps.* 5, 7) et « responsable de sang » (*Lév.* 17, 4).

ab inimicis suis erit saluus[b], ut scriptum est. Et certe
supra dixerat in quadragesimo nono psalmo : *Peccatori*
5 *autem dixit deus* : *Quare tu enarras iustitias meas* [c] ? Cum
ergo per os suum dixerit quod peccatorem prohibuerit
deus suas enarrare iustitias, utique ipse narrando iustitiam
dei declarauit commissum hoc nequaquam suo inputatum
esse peccato.

79. Et addidit : *Labia mea aperies, et os meum adnuntiabit
laudem tuam* [a]. Os peccatoris deus claudit, ne loquatur
iustitias dei [b] : iusti aperit [c], ut loquatur. Cuius ergo labia
aperit, hunc peccati absoluit reatu. Illius autem aperit labia
5 dominus qui accipit uerbum in apertione oris sui [d]. Vnde
et apostolus petit se adiuuari orationibus plebis, ut aperiatur
sibi ostium uerbi ad loquendum mysterium Christi [e].

Linguam uero pro sermone accipimus qui exultat in
dei laudibus [f]. Vnde et illud sic aestimatur : *Lingua mea*
10 *calamus scribae uelociter scribentis* [g], sermo infusus prophetae. **80.** Quod si ex persona Christi dictum accipimus,
uide ne scriba sit uelociter scribens uerbum dei, quod animae uiscera percurrat et penetret [a] et inscribat in ea uel
naturae dona uel gratiae, lingua autem sit sanctum illud
5 ortum corpus ex uirgine, quo uacuata sunt uenena serpentis
et euangelii opera toto orbe celebranda decursa sunt.

78, 7 narrando *KBRB"G* : enarrando *s*   ‖   8 suo *KRB"G* :
sibi *Bs*   ‖   9 peccato *KB"G* : peccatum *BRs*   ‖   **79**, 8
qui *KRB"G* : eius qui *Bs*.

78 b. Cf. Ps. 17, 4   ‖   c. Ps. 49, 16   ‖   **79** a. Ps. 50, 17   ‖
b. Cf. Ps. 49, 16   ‖   c. Cf. Ps. 36, 30   ‖   d. Cf. Éphés. 6, 19
‖   e. Cf. Col. 4, 3   ‖   f. Cf. Ps. 50, 16   ‖   g. Ps. 44, 2
‖   **80** a. Cf. Hébr. 4, 12.

137. Si seul le juste peut parler de la justice de Dieu, c'est-à-dire de la
sainteté divine qui se manifeste dans les préceptes de la Loi, et si David
parle, dans le psaume 50, de la justice de Dieu, c'est donc qu'il est lui-même
juste : cf. *Expl. Ps. XII*, 1, 41 et *Exp. Ps. CXVIII*, 2, 24 ; 6, 28 ; 11, 20.

de ses ennemis [b], comme il est écrit. Et bien sûr, il avait dit précédemment dans le psaume 49 : « Mais Dieu a dit au pécheur : Pourquoi récites-tu les préceptes de ma justice [c] ? » Donc, puisque la propre bouche de David a dit que Dieu a défendu au pécheur de réciter les préceptes de sa justice, par le fait même qu'il raconte, lui, la justice de Dieu, il a montré clairement que l'acte dont nous parlons n'a été, en aucune manière, mis au compte de son péché[137].

Verset 17
Sens symbolique
du mot «langue»

79. Et il a ajouté : « Tu ouvriras mes lèvres et ma bouche annoncera ta louange [a]. » Dieu ferme la bouche du pécheur pour qu'il ne parle pas des préceptes de la justice de Dieu [b] ; mais il ouvre la bouche du juste [c], pour qu'il en parle. Celui dont il ouvre les lèvres a donc été absous de la culpabilité attachée au péché. Or le Seigneur[138] ouvre les lèvres de celui qui accepte la Parole, quand il ouvre la bouche [d]. C'est pourquoi l'Apôtre demande que les prières du peuple le secourent, afin que lui soit ouverte la porte de la Parole pour dire le mystère du Christ [e].

Par le mot «langue», nous entendons[139] la parole qui exulte en chantant les louanges de Dieu [f]. C'est pourquoi ce texte : « Ma langue est le roseau d'un scribe à la main rapide [g] » est interprété comme désignant la parole que Dieu inspire au prophète. **80.** Que si nous interprétons ce texte comme mis dans la bouche du Christ, prends garde que le scribe à la main rapide ne soit le Verbe de Dieu, qui se répand et pénètre dans les entrailles de l'âme [a] et y grave ou les dons de la nature ou ceux de la grâce, et que la langue ne soit ce corps sacré, issu de la Vierge, grâce auquel le venin du serpent a été éliminé, grâce auquel les œuvres de l'Évangile ont parcouru le monde pour y être mises en pratique[140].

---

138. DIDYME, *Commentaire sur les Psaumes*, § 549 Mühlenberg : « Notre *parole*, appelée ' ma *langue* ', en *chantant* sans cesse ta justice *exultera* pour ta justice. *Et Dieu ouvre les lèvres de celui qui accepte la Parole quand il ouvre la bouche.* C'est pourquoi sa bouche annonce les *louanges de Dieu* en le louant sans cesse et en lui rendant des actions de grâces. »

139. Cf. note précédente.

140. Cf. *Exp. Eu. sec. Lucam*, V, 105-106.

Accedit ad euacuandum peccatum, quod humilitatem suscepit, contriuit cor suum, quod magis sacrificium [b]
dominus elegit quam holocausta pro peccato, quae secun-
10 dum legem offerri solebant [c]. Denique supra ait : *Holo-*
causta etiam pro peccato non postulasti ; *tunc dixi* : *ecce*
uenio [d], id est : non rapinam arbitratus esse me aequalem deo uenio formam serui accipiens, uenio in specie
susceptionis humanae, in ueritate crucis, mortis humi-
15 litate oboedientiam probaturus [e], ut inoboedientia deleatur [f]. **81.** Merito ergo et hic dicit : *Quoniam si uoluisses,*
sacrificium dedissem utique ; *holocaustis non delectaberis.*
Sacrificium deo spiritus contribulatus : *cor contritum et*
humiliatum deus non spernit [a]. Et sicut supra dixi, certum
5 est mysterio conuenire quod ipse dominus Iesus uidetur hic
quoque ex sua persona loqui, qui superius illud personae
suae euidenti testificatione deprompsit. Ipse enim uerus
Dauid, manu fortis, uerus humilis atque mansuetus [b],
primus et nouissimus [c], aeternitate primus, humilitate
10 ultimus, per cuius oboedientiam [d] humani generis culpa
deleta, refusa iustitia est. Ipse, inquam, Iesus, umbrae
finis et legis [e], aduenit humilitatis magister [f] docere super-
bos sensu et tumore cordis inflatos [g] ad mansuetudinem
et simplicitatem esse migrandum.

15   Quomodo igitur in typo eius mysterii peccatum inputari

80, 9 peccato *KRB" G* : peccatis *Bs*   ‖   **81**, 3 contritum *KRB"* :
contribulatum *Bs om. G*   ‖   4 spernit *KRB" G* : spernet *Bs.*

80 b. Cf. Ps. 50, 19   ‖   c. Cf. Lév. 1, 1-17 ; 5, 1-26 ; Ps. 39, 7 (=
Hébr. 10, 1.6)   ‖   d. Ps. 39, 7-8 (= Hébr. 10, 6-7)   ‖   e. Cf.
Phil. 2, 6-8   ‖   f. Cf. Rom. 5, 19   ‖   **81** a. Ps. 50, 18-19
‖   b. Cf. Matth. 11, 29   ‖   c. Cf. Apoc. 1, 17   ‖   d. Cf.
Rom. 5, 19   ‖   e. Cf. Rom. 10, 4 ; Hébr. 10, 1   ‖   f. Cf.
Matth. 11, 29   ‖   g. Cf. I Cor. 4, 18-19 ; 5, 2 ; Col. 2, 18.

C. La vision prophétique de David

Verset 19   A ceci s'ajoute que pour anéantir le
Mystère du salut, péché, le Christ a revêtu l'humilité, a
mystère d'humilité broyé son cœur, parce que le Seigneur
a préféré le sacrifice [b] aux holocaustes
pour le péché, que l'on avait la coutume d'offrir conformément
à la Loi [c]. C'est pourquoi il a dit plus haut : « Tu n'as même
pas réclamé d'holocaustes pour le péché ; alors j'ai dit : Me
voici, je viens [d]. » Cela veut dire : Je n'ai pas considéré comme
une usurpation mon égalité avec Dieu et je viens après avoir
revêtu la forme de l'esclave, je viens sous les apparences de
l'homme que j'ai assumées, dans la réalité de la croix, voulant
prouver mon obéissance par l'humilité de la mort [e], afin que
la désobéissance soit effacée [f]. **81.** C'est donc à bon droit qu'ici
également il déclare : « Car si tu avais voulu des sacrifices,
je t'en aurais certes offerts, mais tu ne prends pas plaisir aux
holocaustes. Le sacrifice pour Dieu, c'est un esprit brisé : un
cœur broyé et humilié, Dieu ne le méprise pas [a]. » Et comme
je l'ai dit auparavant[141], il est certain que s'accorde bien avec
le mystère le fait que le Seigneur Jésus, ici encore, semble
parler à la première personne, de la même manière que plus
haut il a fait cette déclaration, en faisant clairement reconnaître
que c'était bien lui qui parlait, là aussi, à la première personne[142]. Car c'est bien lui le vrai David, David à la main forte[143],
vraiment humble et doux [b], premier et dernier [c] : premier par
l'éternité, dernier par l'humilité, lui par l'obéissance [d] de qui
la faute du genre humain a été effacée et la justice rendue.
Jésus, dis-je, la fin de l'ombre et de la Loi [e], est venu lui-même,
comme maître d'humilité [f], apprendre aux orgueilleux et à
ceux qui étaient gonflés [g] par l'enflure de leur cœur qu'il faut
passer de ces dispositions à la douceur et à l'humilité.

Dans ces conditions, comment peut-on faire entrer en compte
le péché dans la figure de ce mystère, alors que précisément

141. Au début du § 76.
142. Jésus parle à la première personne dans le psaume 50, 15 (cf. § 76),
dans le psaume 50, 18 (*dedissem*) et « plus haut » (*superius*) dans le psaume
39, 7 : « Tunc dixi : Ecce venio. »
143. Cf. plus haut, n. 15.

potest, cum in ipso mysterio sit remissio peccatorum ?
Nisi forte ideo Dauid iniquitatem suam peccatumque confessus est eius admissi, ut et ipse ad remissionem peccati et
gratiam mysterii pertineret.

82. Nam quid sibi uult quod uir peccatum suum confitens
de Sion et Hierusalem psallit dicens : *Benefac, domine,
in bona uoluntate tua Sion, et aedificentur muri Hierusalem* [a],
nisi quia adcelerari ei placet ecclesiae congregationem
5 per uocationem gentium, qui non ancillae filiis, sed liberae
Hierusalem, illius quae in caelo est [b], fidei suae prosa-
piam toto orbe diffunderet et spiritalium saepta muro-
rum doctrinae apostolicae adsertione fundaret[c] ? **83.** Muri
itaque Hierusalem fidei propugnacula, disputationum
munimenta, uirtutum culmina sunt : muri Hierusalem
ecclesiarum conuentus sunt toto orbe fundati ; ecclesia
5 enim dicit : *ego murus et ubera mea turris* [a]. Et bene Hierusalem muri ecclesiarum conuenticula, quoniam quisque
bona fide atque opere ingreditur ecclesiam fit supernae
illius ciuis et incola ciuitatis, quae descendit de caelo[b].
Hos muros lapidum aedificat structura uiuorum [c].

81, 18 et[1] *KRB"G* : *om. Bs* ‖ **82,** 5 qui *KBRB"G* : quae *s.*

82 a. Ps. 50, 20 ‖ b. Cf. Gal. 4, 22.26.31 ; Hébr. 12, 22 ‖
c. Cf. Éphés. 2, 20 ; Apoc. 21, 14 ‖ **83** a. Cant. 8, 10 ‖
b. Cf. Apoc. 21, 2 ‖ c. Cf. I Pierre 2, 5.

---

144. DIDYME, *Commentaire sur les Psaumes*, § 550 Mühlenberg : « *Que
signifie ce fait qu'un homme, au moment même où il confesse son propre péché,
parle de Sion et de Jérusalem* ? **Mais si nous avons dit qu'il n'avait pas été
totalement arrêté dans la continuité de sa course, parce qu'il avait commis un faux pas, pour cette raison, possédant encore la disposition stable
de la prophétie et la communion de l'Esprit Saint, il prie et prophétise *en
disant :* ' *Répands tes bienfaits sur Sion dans ta bonté* ', la Sion qui a été engen-
drée par ton Fils et qui s'est approchée de l'Esprit Saint ; *mais aussi sont
construits les murs de Jérusalem.* Car ces murs ce sont les armées des anges
ou les *fondements des dogmes.* »

dans le mystère lui-même se trouve la rémission des péchés ?
A moins, peut-être, que David n'ait confessé son iniquité et
le péché qu'il avait commis pour participer lui aussi à la rémission des péchés et à la grâce du mystère.

Verset 20
Vision prophétique
de l'Église

82. En effet, que signifie[144] ce fait qu'un
homme, au moment même où il confesse
son péché, chante Sion et Jérusalem et
dise : « Répands, Seigneur, dans ta bonté,
tes bienfaits sur Sion, et que les murs de Jérusalem soient
construits [a] », si ce n'est que celui qui veut que se fasse rapidement par la vocation des Gentils[145] le rassemblement de l'Église,
c'est celui qui[146], par ses enfants — non pas ceux de l'esclave,
mais ceux de la femme libre, la Jérusalem qui est dans le ciel [b] —,
devait répandre dans l'univers entier la lignée de sa foi et fonder
l'enceinte de ses murs spirituels sur la confession de la doctrine
des Apôtres [c] ? 83. Ainsi les murs de Jérusalem sont les remparts
de la foi, les défenses fortifiées des discussions théologiques[147],
les sommets des vertus. Les murs de Jérusalem sont aussi les
assemblées des Églises, assemblées qui siègent dans l'univers
entier. L'Église, en effet déclare : « Je suis la muraille et mes
seins en sont les tours [a]. » Et il est juste de dire que les murs
de Jérusalem sont les assemblées des Églises, puisque quiconque
entre dans l'Église avec une foi bonne et de bonnes œuvres,
devient citoyen et habitant de cette cité d'en haut, qui descend
des cieux [b]. Ces murs, c'est par la mise en place des pierres
vivantes [c] qu'ils s'édifient.

---

145. Cf. plus haut, § 14 : « Vt significaretur congregatio nationum. »

146. Comme dans le verset précédent (cf. n. 142), c'est le Christ qui parle
et qui demande que se réalise son union avec l'Église, et que « se répande
dans l'univers entier la lignée de sa foi », grâce à cette union.

147. ORIGÈNE, dans R. CADIOU, *Commentaires inédits...*, p. 85 : « Parce
que le *dogme vrai se fonde* sur un discours démonstratif, indiscutable et irré-
futable, c'est alors que sont construits les murs de Jérusalem : les murs de
Jérusalem étant construits, Dieu accepte alors le sacrifice de justice. »
G. MADEC, *Saint Ambroise et la philosophie*, p. 92, n. 392, note qu'Ambroise
emploie généralement *disputatio* en mauvaise part. Ici pourtant, le terme
est mis en parallèle avec la foi et la vertu. L'exégèse des « murs » de Jérusalem
comme « doctrine » ecclésiastique vient donc de Didyme (cf. n. 144) et
d'Origène.

84. Videns igitur Hierusalem ueram et Sion dixit : Cum
benedixeris in uoluntate tua Hierusalem et Sion, *tunc*
acceptabis sacrificium iustitiae [a], hoc est sacrificium corporis Christi, qui ait, cum de propria passione loqueretur :
5 *Aperite mihi portas iustitiae et ingressus in eas confitebor*
domino [b]. Et in euangelio ait ad Iohannem : *Sine modo* ;
sic enim oportet nos implere omnem iustitiam [c], et infra :
Beati qui persecutionem patiuntur propter iustitiam [d]. Iustitia Christus est ; sacrificium ergo Christi acceptabile
10 futurum patri adserit. Hoc est ergo, de quo et supra ait :
Sacrificate sacrificium iustitiae et sperate in domino [e].

Haec est iustitia spiritalis oblatio et holocaustum feruen-
tis deuotionis et infusionis spiritus sancti, quod dicit futurum, cum ad illud spiritale domini altare [f] coeperint ad-
15 moueri animae credentium, quae renuntiantes uolup-
tatibus atque deliciis tamquam aratrum in uisceribus
suis ducant, ut fructus piae possint adferre culturae.

85. Vel certe ita : cum benedixeris ecclesiam ex gentibus
adquisitam et spiritale sacrificium iustitiae [a] coeperit
frequentari, tunc et martyres sancti, qui suum pro Christo

84, 12 iustitia *KBRB''G* : iustitiae *s.*

84 a. Ps. 50, 21 ‖ b. Ps. 117, 19 ‖ c. Matth. 3, 15
‖ d. Matth. 5, 10 ‖ e. Ps. 4, 6 ‖ f. Cf. Ps. 50, 21
85 a. Cf. Ps. 50, 21.

---

148. DIDYME, *Commentaire sur les Psaumes*, § 551 Mühlenberg : « Il appelle
justice celle qui se trouve par la foi de Jésus-Christ en tous les croyants.
Cette justice est l'offrande et les holocaustes spirituels et c'est là ' Sacrifiez
le sacrifice de justice '. Mais alors, à ton *autel spirituel*, on offrira *les jeunes*
taureaux agriculteurs qui tirent *le soc* : les âmes qui ne sont autres que les
âmes des *martyrs* que l'on voit auprès de l'autel céleste et qui sont offertes
sur lui comme de jeunes taureaux. Car *dans l'Apocalypse de Jean les âmes*
des décapités (*Apoc.* 20, 4) *pour le nom de Jésus* et de son *témoignage* sont

Verset 21
Vision prophétique
du sacrifice du Christ,
des saints et des martyrs

84. Voyant donc la Jérusalem véritable et la véritable Sion, David a dit : Quand dans ta bonté tu auras béni Jérusalem et Sion, « alors tu accepteras le sacrifice de justice [a] », c'est-à-dire le sacrifice du corps du Christ qui dit, parlant de sa propre passion : « Ouvrez-moi les portes de la justice et quand je les aurai franchies je confesserai le Seigneur [b]. » Et dans l'Évangile, il dit à Jean : « Laisse pour l'heure ; car c'est ainsi qu'il convient que nous accomplissions toute justice [c]. » Et plus loin : « Heureux ceux qui souffrent persécution à cause de la justice [d]. » La justice, c'est le Christ. En conséquence le sacrifice du Christ, affirme-t-il, sera agréé par le Père. Et c'est à ce sujet qu'il dit plus haut : « Sacrifiez un sacrifice de justice et espérez dans le Seigneur [e]. »

Cette justice[148] est l'offrande spirituelle et l'holocauste de piété fervente et d'infusion de l'Esprit Saint qui, dit-il, s'accompliront un jour, c'est-à-dire lorsque, de l'autel [f] spirituel du Seigneur, commenceront à s'approcher les âmes des croyants, ces âmes qui, renonçant aux voluptés et aux délices, font passer le soc, si j'ose dire, dans leurs entrailles, afin de pouvoir porter les fruits d'une sainte culture.

85. On pourrait sans doute dire encore : Lorsque tu auras béni l'Église que tu t'es acquise au sein des nations et lorsqu'on aura commencé à offrir le sacrifice spirituel de justice [a], alors les saints martyrs qui, pour le Christ, auront livré leur corps au

vues *sous l'autel céleste*. » Ici le parallèle entre le texte de Didyme et celui d'Ambroise permet de reconnaître pour la bonne leçon, celle qui est attestée par les mss *KBRB''G* (li. 12). Ambroise distingue deux exégèses : les jeunes taureaux sont les âmes des croyants qui, par l'ascèse, portent les fruits « d'une sainte culture » ; ce sont aussi les âmes des martyrs que le voyant de l'Apocalypse aperçoit sous l'autel céleste. Dans les deux cas, les jeunes taureaux ne labourent pas, mais sont labourés par l'ascèse ou par les supplices. Il est possible qu'Ambroise ait connu un texte de Didyme plus complet que le nôtre et comportant la mention des âmes des croyants, pratiquant l'ascèse.

corpus optulerunt exarandum, tamquam uituli [b] sacris
5 altaribus offerentur, sicut in Apocalypsi Iohannis scriptum inuenimus quia sub altari [c] erant animae eorum
qui pro domini Iesu nomine corpora sua optulerunt mar-
tyrio, ut Christi sibi gratiam mercarentur. Cui est honor,
gloria, laus, perpetuitas cum deo patre et spiritu sancto
10 a saeculis et nunc et semper et in omnia saecula saeculorum.
Amen.

85, 6 altario K   ‖   9 perpetuitas R G : perpetuitae K   per-
petuitatis B''   perpetua Bs.

85 b. Cf. Ps. 50, 21   ‖   c. Cf. Apoc. 6, 9.

labour des supplices, seront apportés en offrande aux autels
sacrés comme les jeunes taureaux [b] du sacrifice. Ainsi trouvons-
nous écrit dans l'Apocalypse de Jean que sous l'autel [c] se trouvaient les âmes de ceux qui, pour le nom du Seigneur Jésus,
ont livré leur corps au martyre, afin de s'acheter la grâce du
Christ. C'est à lui qu'appartiennent l'honneur, la gloire, la
louange et l'éternité, avec Dieu le Père et l'Esprit Saint, depuis
l'origine des siècles, aujourd'hui et toujours et dans tous les
siècles des siècles. Amen[149].

149. Doxologies analogues, *Exp. Ps. CXVIII*, 7, 37 ; 13, 28 ; 21, 24 ;
Expl. Ps. XII, 35, 29 ; 36, 83 ; 37, 59 ; 38, 39 ; 39, 27 ; 48, 27 ; *De sacram.*,
VI, 5, 26 ; *De interpell.*, III, 11, 31 et IV, 10, 36 ; *De bono mortis*, 57 ; *Exameron*,
I, 10, 37 ; III, 17, 72 ; VI, 10, 76 ; *De instit. virg.*, 114. Ces doxologies carac-
térisent les fins de sermons, comme le remarque C. SCHENKL, dans *C.S.E.L.*,
t. 32, pars prima, p. II.

I. — INDEX SCRIPTURAIRE

Les renvois sont faits aux paragraphes de l'*Apologia*. Les références en caractères gras indiquent les citations bibliques ; les références en italique indiquent les allusions scripturaires, décelées dans le texte d'Ambroise et signalées par un « cf. » dans l'apparat scripturaire.

ANCIEN TESTAMENT

NOUVEAU TESTAMENT

II. — INDEX GREC-LATIN ET LATIN-GREC
DES PARALLÈLES AVEC DIDYME ET ORIGÈNE

Les chiffres (par ex. 82 n 144) correspondent au système utilisé dans l'Appendice I (p. 49-58) pour numéroter les fragments grecs de Didyme et d'Origène (cf. p. 10). Le premier (82, par ex.) correspond au n° du paragraphe du texte latin dans lequel on peut retrouver le parallèle ambrosien, le second (n 144, par ex.) indique le n° de la note de la traduction, dans laquelle on trouvera une version française des fragments des textes grecs. On retrouvera facilement le texte grec des fragments dans l'Appendice I dans lequel chaque fragment est identifié grâce à ce système de numérotation (par ex. 82 n 144).

Les crochets droits qui entourent certains mots latins indiquent que ces mots, utilisés par Ambroise, se réfèrent à l'idée exprimée par les termes grecs correspondants, mais n'ont pas la même forme grammaticale.

ἀγαθύνω benefacio 82 n 144
ἀγαλλιάομαι exulto 60 n 105. 106
ἀγαλλίασις laetitia 72 n 127
ἀγανακτέω indignor 5 n 5
ἅγιος sanctus 6 n 7, 7 n 9, 65 n 115
ἄγνοια ignorantia 63 n 111
ἀγνωμονέω ingratus (sum) 54 n 78
ἀδιάστατος [non soluor] 6 n 7
ἀδυνάτως [impossibilis] 7 n 9
ἀεί semper 47 n 62
αἷμα sanguis 59 n 96
ἀλλά sed 5 n 5
ἄλλος alius 6 n 7
ἅμα [et] 53 n 75
ἁμαρτάνω pecco 53 n 75
ἁμαρτάνων criminosus 70 n 124
ἁμάρτημα error 4 n 4 ; delictum 7 n 9
ἁμαρτία delictum 7 n 9, 45 n 58, 56 n 82 ; error 47 n 62 ; peccatum 5 n 5, 60 n 106, 63 n 111, 72 n 128, 77 n 136, 82 n 144
ἀναβαίνω ascendo 59 n 99

ἀναμαρτησία (ἀναμαρτησίαν αὐχέω) [me peccatorem nego] 53 n 75
ἀναφέρω offerro 85 n 148
ἀναφορά oblatio 84 n 148
ἀνεπίδεκτος [recipere non possum] 7 n 9
ἀνήρ homo 5 n 5
ἄνθρωπος homo 6 n 7, 53 n 75, 66 n 118, 73 n 131
ἀνοίγω aperio 79 n 138
ἄνοιξις apertio 79 n 138
ἀνόμημα iniquitas 45 n 55
ἀνομία iniquitas 56 n 82
ἀπαλείφω deleo 45 n 55
ἀπό a 45 n 58
ἀποδίδωμι reddo 72 n 127
ἀποκάλυψις apocalypsis 85 n 148
ἀποκατάστασις refusio 42 n 50
ἀποκοπή [uacuor] 42 n 50
ἀπορρίπτω proicio 70 n 124
ἀποφαίνω arguo 53 n 75
ἀπροσεκτέω [fragilitas] 6 n 7
ἀρετή uirtus 63 n 111 ; innocentia 7 n 9
ἀριθμός numerus 42 n 49
ἄριστος bonus 76 n 134

ἄροτρον aratrum 84 n 148
ἄρχον ductor 73 n 131
αὐτός ipse 53 n 75
αὐτοῦ sui 79 n 138
ἀφανίζω tollo 63 n 111
ἄφεσις remissio 42 n 49
ἀχρεόω inutilis fio 53 n 75

βασιλεία regnum 41 n 48 ; imperia 4 n 4
βασιλεύς rex 5 n 5, 51 n 72
βαφή infectio 45 n 55
βεβαιόω confirmo 42 n 50
βίος uita 76 n 134
βούλομαι uolo 82 n 144

γεωπόνος [cultura] 84 n 148
γλῶσσα lingua 79 n 138
γνῶσις cognitio 76 n 134

δέ autem 6 n 7, 66 n 118, 79 n 138
δηνάριον denarius 42 n 49
διαβολή proditio 41 n 48
διάνοια cor 53 n 75
διατελέω demoror 4 n 4
διδάσκαλος [magisterium] 7 n 9
διδάσκω doceo 42 n 49
δίκαιος iustus 60 n 105
δικαιοσύνη iustitia 84 n 148
δικαιόω iustifico 3 n 2, 53 n 75
δίκην tamquam 84-85 n 148
δουλεύω seruio 72 n 128
δρόμος cursus 6 n 7
δύναμις uirtus 60 n 106
δυναστεία honor 4 n 4

ἐάν si 53 n 75
ἐγγράφω inscribo 64 n 113
ἔγκατα uiscera 65 n 115. 116
εἰ sicubi 6 n 7
εἰμί sum passim
εἶπον dico 53 n 75 ; loquor 53 n 75
εἴρω dico 60 n 105
εἰς in 8 n 13, 53 n 75, 63 n 111
ἐκεῖνος ille 79 n 138
ἐκκλίνω declino 53 n 75

ἐλέγχω corripio 5 n 5
ἐλευθερία libertas 42 n 50
ἐν in 4 n 4, 53 n 75, 66 n 118, 79 n 138, 82 n 144, 85 n 148
ἔννοια cogitatio 65 n 116
ἐντός (τὰ) interiora 65 n 115
ἐξαλείφω deleo 63 n 111
ἐξομολογέομαι confiteor 82 n 144
ἑορτάσιμος celebrabilis 42 n 50
ἐπί ad 84 n 148 ; in 45 n 58, 56 n 82
ἐπιγραφή titulus 41 n 48
ἐπιρρεπής inclinatus 53 n 75
ἐπιστήμη scientia 63 n 111
ἔρχομαι(εἰς) intro 63 n 111
ἔτος annus 42 n 50 ; ἔτη uita 4 n 4
εὐδοκία bona uoluntas 82 n 144
εὐεργετέω [beneficia] 54 n 78
εὐθής rectus 66 n 118, 73 n 129
εὐλογέω benedico 65 n 115
εὐφραινόμενος laetus 42 n 51

ἤ uel 66 n 118
ἡγεμονεύον princeps 73 n 131
ἡγεμονικός principalis 72 n 128, 73 n 129
ἡμέρα dies 42 n 51

θανατικός mortalis 77 n 136
θεῖος diuinus 7 n 9, 8 n 13
θεός deus 53 n 75 ; [dominus] 53 n 75, 79 n 138 ; θεοῦ diuinus 8 n 13
θεοσεβής [deuotio] 51 n 72
θυσιαστήριον altare 84 et 85 n 148

ἴδιος suus 8 n 13, 82 n 144 ; proprius 47 n 62
ἰδιώτης priuatus 5 n 5
ἵνα ut 7 n 9 ; ἵνα...μή ne 8 n 13
ἱστορία historia 41 n 48
ἰωβηλαῖος iubeleus 42 n 50

καθαρίζω mundo 45 n 58
καί et passim ; etiam 7 n 9

καλέω   dico 42 n 50
κατακρίνω   diiudico 3 n 2
κρίνω   iudico 53 n 75
κτῆσις   possessio 42 n 50
κύριος   dominus 5 n 5, 60 n 105, 65 n 115

λαμβάνω   accipio 79 n 138
λαός   populus 4 n 4
λέγω   dico 59 n 99
λευκαίνω   dealbo 59 n 96 et 99
λογικός   rationabilis 72 n 127
λόγος   uerbum 53 n 75, 79 n 138 ; sermo 79 n 138
λυσιτελής   [prosum]   7   n   9

μαρτυρία   martyrium 85 n 148
μάρτυς   martyr 85 n 158
μετάνοια   paenitentia 5   n   5, 7 n 9, 42 n 53
μετρέω   numero 4 n 4
μήτηρ   [parens] 56 n 82
μιμέομαι   imitor 76 n 134 ; [imitatio] 7 n 9
μίμημα   specimen 76   n   134
μίμησις   [imitor] 7 n 9
μόνον   tantum (semel) 4 n 4 ; οὐ μόνον... ἀλλά non...sed 5 n 5
μόσχος   uitulus 85 n 148
μοῦ   meus 65 n 115

νικάω   uinco 53 n 75
νοητός   intellegibilis 59   n   100, 65 n 115
νόμος   lex 51 n 72

οἴησις   iudicium 8 n 13
οἰκοδομέω   aedifico 82 n 144
οἰκτιρμός   miseratio 45 n 55
ὀλίγον   paulisper 7 n 9 (trad.) et 8 n 13 (grec)
ὁλοκαύτωμα   holocaustum 84 n 148
ὅμοιος   similis 60 n 105
ὄνομα   nomen 65 n 115, 85 n 148
ὀρθός   bonus 65 n 116, rectus 66 n 118
ὅς   qui 53 n 75, 72 n 127, 76 n 134

ὅσον   quantum 53 n 75
ὀστέον   os 60 n 105.106
οὖν   ergo 8 n 13
οὗτος   hic 59 n 99, 84 n 148
οὕτω(ς)   ita 7 n 9, 45 n 55, 76 n 134 ; sic 60 n 105, 63 n 111
ὀφείλω   debeo 72 n 127
ὀφθαλμός   oculus 47 n 62

παρά   a 5 n 5
παράγω   transduco 5 n 5 ; transferro 5 n 5
παροράω   praetereo 7 n 9 (trad.) et 8 n 13 (grec)
πᾶς   omnis 53 n 75, 60 n 105, 63 n 111, 65 n 115
πεντακόσιοι   quingenti 42 n 49
πεντήκοντα   quinquaginta 42 n 49
πεντηκοστός   quinquagensimus 41 n 48
περί   de 59 n 99, 82 n 144
περιέχω   comprehendo 41 n 48
περίπτωμα   lapsus 46 n 59
πίπτω   ruo 8 n 13
πλεῖον   multum 45 n 58
πλεῖστα(τὰ)   plurimum 4 n 4
πλύνω   lauo 45 n 58, 59 n 82
πνεῦμα   spiritus 66 n 118, 72 n 128, 73 n 129
πνευματικός   spiritalis 84 n 148
ποιέω   committere 48   n   67 ; facere 53 n 75
πολλοί   [multitudo] 45 n 55
πονηρά(τὰ)   nequitia 53 n 75
ποτέ   forte 6 n 7
πότερον   utrum 56 n 82
πρό   ante 47 n 62
πρόβατον   agnus 59 n 82
πρόνοια   prouidentia 7 n 9
προσκόπτω   corruo 6 n 7
πρόσωπον   uultus 67 n 120
προφασίζομαι   occasionem do 7 n 9
πρῶτος   primus 41 n 48

ραντίζω   aspergo 59 n 82

σαφῶς οὐ σαφῶς εἴρηται [non expressit] 56 n 82
σοῦ tibi 60 n 105
σπάνιος rarus 46 n 59
σπουδαῖος sanctus 70 n 124
στηριγμός [confirmo] 73 n 131
στηρίζω confirmo, firmo 72 n 128
στόμα os 79 n 138
συναίσθησις [cognosco] 8 n 13
συνείδησις conscientia 66 n 118
συνέργεια operatio 8 n 13
συνίημι intellego 46 n 59
σύνοδος [accipio] 41 n 48
σφάλλω labor 76 n 134
σωτηρία salus 6 n 7
σωτήριος salutaris 72 n 127

ταπεινόω humilio 60 n 105.106
τεῖχος murus 82 n 144
τηλικοῦτος tam potens 5 n 5
τίς quis 46 n 59, 59 n 99, 60 n 105, 82 n 144
τοιοῦτος [ipse] 59 n 99
τοσοῦτος tantus 5 n 5
τρέχω curro 6 n 7
τρίτος tertius 41 n 48
τυγχάνω sum 84 n 148
τυπικός typicus 59 n 96
τύπωσις effigies 64 n 113

ὑπέρ super 59 n 96
ὑπό sub 84-85 n 148
ὑπογραμμός exemplar 76 n 134
ὑπόκειμαι teneor 51 n 72
ὕσσωπος hysopus 59 n 82

φύσις natura 72 n 127

χάρις gratia 7 n 9 (trad.) et 8 n 13 (grec)
χείλη labia 79 n 138
χιών nix 59 n 82. 100
χρέος debitum 42 n 50
χρεώστης debitor 42 n 49

ψαλμός psalmus 41 n 48
ψεύστης mendax 53 n 75 ; [mendacium] 53 n 75

ψυχή anima 59 n 99, 60 n 106, 63 n 111, 65 n 115. 116, 85 n 148

ὡς quemadmodum 63 n 111 ; sicut 60 n 105, 76 n 134 ; ut 6 n 7
ὥσπερ sicuti 7 n 9, 45 n 55

a ἀπό, παρά
accipio λαμβάνω
[accipio] σύνοδος
ad ἐπί
aedifico οἰκοδομέω
agnus πρόβατον
alius ἄλλος
altare θυσιαστήριον
anima ψυχή
annus ἔτος
ante πρό
aperio ἀνοίγω
apertio ἄνοιξις
apocalypsis ἀποκάλυψις
aratrum ἄροτρον
arguo ἀποφαίνω
ascendo ἀναβαίνω
aspergo ῥαντίζω
autem δέ

benedico εὐλογέω
benefacio ἀγαθύνω
[beneficium] εὐεργετέω
bonus ἄριστος, ὀρθός

celebrabilis ἑορτάσιμος
cogitatio ἔννοια
cognitio γνῶσις
[cognosco] συναίσθησις
committo ποιέω
comprehendo περιέχω
confirmo βεβαιόω, στηρίζω
[confirmo] στηριγμός
confiteor ἐξομολογέομαι
conscientia συνείδησις
cor διάνοια
corripio ἐλέγχω
corruo προσκόπτω
criminosus ἁμαρτάνων

[cultura] γεωπόνος
curro τρέχω
cursus δρόμος

de περί
dealbo λευκαίνω
debeo ὀφείλω
debitor χρεώστης
debitum χρέος
declino ἐκκλίνω
deleo ἀπαλείφω, ἐξαλείφω
delictum ἁμάρτημα, ἁμαρτία
demoror διατελέω
denarius δηνάριον
deus θεός
[deuotio] θεοσεβής
dico εἶπον, εἴρω, καλέω, λέγω
dies ἡμέρα
diiudico κατακρίνω
diuinus θεῖος, θεοῦ
doceo διδάσκω
dominus κύριος
[dominus] θεός
ductor ἄρχον

effigies τύπωσις
ergo οὖν
error ἁμάρτημα, ἁμαρτία
et καί
[et] ἅμα
etiam καί
exemplar ὑπογραμμός
[exprimere] σαφῶς (οὐ σαφῶς
  εἴρηται)
exultare ἀγαλλιάομαι

facio ποιέω
firmo στηρίζω
forte ποτέ
[fragilitas] ἀπροσεκτέω

gratia χάρις

hic οὗτος
historia ἱστορία
holocaustum ὁλοκαύτωμα
homo ἀνήρ, ἄνθρωπος
honor δυναστεία

humilio ταπεινόω
hysopus ὕσσωπος

ignorantia ἄγνοια
ille ἐκεῖνος
[imitatio] μιμέομαι
imitor μιμέομαι
[imitor] μίμησις
imperia βασιλεία
[impossibilis] ἀδυνάτως
in εἰς, ἐν, ἐπί
inclinatus ἐπιρρεπής
indignor ἀγανακτέω
infectio βαφή
ingratus(sum) ἀγνωμονέω
iniquitas ἀνόμημα
innocentia ἀρετή
inscribo ἐγγράφω
intellegibilis νοητός
intellego συνίημι
interiora τὰ ἐντός
intro ἔρχομαι εἰς
inutilis (fio) ἀχρεόω
[ipse] τοιοῦτος
ipse αὐτός
ita οὕτω(ς)
iubeleus ἰωβηλαῖος
iudico κρίνω
iudicium οἴησις
iustifico δικαιόω
iustitia δικαιοσύνη
iustus δίκαιος

labia χειλή
labor σφάλλω
laetitia ἀγαλλίασις
laetus εὐφραινόμενος
lapsus περίπτωμα
lauo πλύνω
lex νόμος
libertas ἐλευθερία
lingua γλῶσσα
loquor εἶπον

[magisterium] διδάσκαλος
martyr μάρτυς
martyrium μαρτυρία
[mendacium] ψεύστης

mendax ψεύστης
meus μοῦ
miseratio οἰκτιρμός
mortalis θανατικός
[multitudo] πολλοί
multum πλεῖον
mundo καθαρίζω
murus τεῖχος

natura φύσις
ne ἵνα...μή
nequitia τὰ πονηρά
nix χιών
nomen ὄνομα
non...sed οὐ μόνον...ἀλλά
numero μετρέω
numerus ἀριθμός

oblatio ἀναφορά
occasio (occasionem do) προφα-
    σίζομαι
oculus ὀφθαλμός
offerro ἀναφέρω
omnis πᾶς
operatio συνέργεια
ὅς στόμα
ὅς ὀστέον

paenitentia μετάνοια
[parens] μήτηρ
paulisper ὀλίγον
peccator (me peccatorem nego)
    ἀναμαρτησίαν αὐχέω
peccatum ἁμαρτία
pecco ἁμαρτάνω
plurimum τὰ πλεῖστα
populus λαός
possessio κτῆσις
potens voir tam
praetereo παροράω
primus πρῶτος
princeps ἡγεμονεῦον
principalis ἡγεμονικός
priuatus ἰδιώτης
proditio διαβολή
proicio ἀπορρίπτω
proprius ἴδιος
[prosum] λυσιτελής

prouidentia πρόνοια
psalmus ψαλμός

quantum ὅσον
quemadmodum ὡς
qui ὅς
quingenti πεντακόσιοι
quinquagensimus πεντηκοστός
quinquaginta πεντήκοντα
quis τίς

rarus σπάνιος
rationabilis λογικός
[recipere non possum] ἀνεπί-
    δεκτος
rectus εὐθής, ὀρθός
reddo ἀποδίδωμι
refusio ἀποκατάστασις
regnum βασιλεία
remissio ἄφεσις
rex βασιλεύς
ruo πίπτω

salus σωτηρία
salutaris σωτήριος
sanctus ἅγιος, σπουδαῖος
sanguis αἷμα
scientia ἐπιστήμη
sed ἀλλά
semel tantum μόνον
semper ἀεί
sermo λόγος
seruio δουλεύω
si ἐάν
sic οὕτως
sicubi εἰ
sicuti ὥσπερ
similis ὅμοιος
[soluor (non)] ἀδιάστατος
specimen μίμημα
spiritalis πνευματικός
spiritus πνεῦμα
sub ὑπό
sui αὐτοῦ
sum εἰμί passim, τυγχάνω
super ὑπέρ
suus ἴδιος

tam (potens) τηλικοῦτος
tamquam δίκην
tantum (semel) μόνον
tantus τοσοῦτος
teneor ὑπόκειμαι
tertius τρίτος
tibi σοῦ
titulus ἐπιγραφή
tollo ἀφανίζω
transduco παράγω
transferro παράγω
typicus τυπικός
ut ἵνα, ὡς

utrum πότερον

[uacuor] ἀποκοπή
uel ἤ
uerbum λόγος
uinco νικάω
uirtus ἀρετή
uiscera ἔγκατα
uita βίος, ἔτη
uitulus μόσχος
uolo βούλομαι
uoluntas bona εὐδοκία

III. — INDEX DES PARALLÈLES AMBROSIENS

Les chiffres renvoient aux numéros des notes de l'introduction et de la traduction. Les renvois aux notes de la traduction sont précédés d'un T.

IV. — INDEX DES AUTEURS ANCIENS

Les chiffres renvoient aux numéros des notes de l'introduction et de la traduction. Les renvois aux notes de la traduction sont précédés d'un T.

V. — INDEX ANALYTIQUE

Les chiffres renvoient aux paragraphes de l'*Apologia*.

TABLE DES MATIÈRES

SOURCES CHRÉTIENNES

LISTE COMPLÈTE DE TOUS LES VOLUMES PARUS

N. B. — L'ordre suivant est celui de la date de parution (n° 1 en 1942) et il n'est pas tenu compte ici du classement en séries : grecque, latine, byzantine, orientale, textes monastiques d'Occident ; et série annexe : textes para-chrétiens.

Sauf indication contraire, chaque volume comporte le texte original, grec ou latin, souvent avec un apparat critique inédit.

La mention *bis* indique une seconde édition. Quand cette seconde édition ne diffère de la première que par de menues corrections et des *Addenda et Corrigenda* ajoutés en appendice, la date est accompagnée de la mention « réimpression avec supplément ».

1. GRÉGOIRE DE NYSSE : **Vie de Moïse.** J. Daniélou (3e édition) (1968).
2 bis. CLÉMENT D'ALEXANDRIE : **Protreptique.** C. Mondésert, A. Plassart (réimpression de la 2e éd., 1976).
3 bis. ATHÉNAGORE : **Supplique au sujet des chrétiens.** *En préparation.*
4 bis. NICOLAS CABASILAS : **Explication de la divine Liturgie.** S. Salaville, R. Bornert, J. Gouillard, P. Périchon (1967).
5. DIADOQUE DE PHOTICÉ : **Œuvres spirituelles.** É. des Places (réimpr. de la 2e éd., avec suppl., 1966).
6 bis. GRÉGOIRE DE NYSSE : **La création de l'homme.** *En préparation.*
7 bis. ORIGÈNE : **Homélies sur la Genèse.** H. de Lubac, L. Doutreleau (1976).
8. NICÉTAS STÉTHATOS : **Le paradis spirituel.** M. Chalendard. *Remplacé par le n° 81.*
9 bis. MAXIME LE CONFESSEUR : **Centuries sur la charité.** *En préparation.*
10. IGNACE D'ANTIOCHE : **Lettres — Lettres et Martyre** de POLYCARPE DE SMYRNE. P.-Th. Camelot (4e édition) (1969).
11 bis. HIPPOLYTE DE ROME. : **La Tradition apostolique.** B. Botte (1968).
12 bis. JEAN MOSCHUS : **Le Pré spirituel.** *En préparation.*
13. JEAN CHRYSOSTOME : **Lettres à Olympias.** A.-M. Malingrey. Trad. seule (1947).
13 bis. 2e édition avec le texte grec et la **Vie anonyme d'Olympias** (1968).
14. HIPPOLYTE DE ROME : **Commentaire sur Daniel.** G. Bardy, M. Lefèvre. Trad. seule (1947).
2e édition avec le texte grec. *En préparation.*
15 bis. ATHANASE D'ALEXANDRIE : **Lettres à Sérapion.** J. Lebon. *En préparation.*
16 bis. ORIGÈNE : **Homélies sur l'Exode.** H. de Lubac, J. Fortier. *En préparation.*
17. BASILE DE CÉSARÉE : **Sur le Saint-Esprit.** B. Pruche. Trad. seule (1947).
17 bis. 2e édition avec le texte grec (1968).
18 bis. ATHANASE D'ALEXANDRIE : **Discours contre les païens.** P.-Th. Camelot (1977).
19 bis. HILAIRE DE POITIERS : **Traité des Mystères.** P. Brisson (réimpression, avec supplément, 1967).
20. THÉOPHILE D'ANTIOCHE : **Trois livres à Autolycus.** G. Bardy, J. Sender. Trad. seule (1948).
2e édition avec le texte grec. *En préparation.*
21. ÉTHÉRIE : **Journal de voyage.** H. Pétré (réimpression, 1975).
22 bis. LÉON LE GRAND : **Sermons,** t. I. J. Leclercq, R. Dolle (1964).
23. CLÉMENT D'ALEXANDRIE : **Extraits de Théodote** (réimpression, 1970).
24 bis. PTOLÉMÉE : **Lettre à Flora.** G. Quispel (1966).
25 bis. AMBROISE DE MILAN : **Des Sacrements. Des Mystères. Explication du Symbole.** B. Botte (1961).
26 bis. BASILE DE CÉSARÉE : **Homélies sur l'Hexaéméron.** S. Giet (réimpr. avec suppl., 1968).

27 bis. **Homélies Pascales**, t. I. P. Nautin. *En préparation.*

28 bis. Jean Chrysostome : **Sur l'incompréhensibilité de Dieu.** J. Daniélou, A.-M. Malingrey, R. Flacelière (1970).

29 bis. Origène : **Homélies sur les Nombres.** A. Méhat. *En préparation.*

30 bis. Clément d'Alexandrie : **Stromate I.** *En préparation.*

31. Eusèbe de Césarée : **Histoire ecclésiastique**, t. I. G. Bardy (réimpression, 1965).

32 bis. Grégoire le Grand : **Morales sur Job**, t. I. Livres I-II. R. Gillet, A. de Gaudemaris (1975).

33 bis. **A. Diognète.** H. I. Marrou (réimpr. avec suppl., 1965).

34. Irénée de Lyon : **Contre les hérésies**, livre III. F. Sagnard. *Remplacé par les nᵒˢ 210 et 211.*

35 bis. Tertullien : **Traité du baptême.** F. Refoulé. *En préparation.*

36 bis. **Homélies Pascales**, t. II. P. Nautin. *En préparation.*

37 bis. Origène : **Homélies sur le Cantique.** O. Rousseau (1966).

38 bis. Clément d'Alexandrie : **Stromate II.** *En préparation.*

39 bis. Lactance : **De la mort des persécuteurs.** 2 vol. *En préparation.*

40. Théodoret de Cyr : **Correspondance**, t. I. Y. Azéma (1955).

41. Eusèbe de Césarée : **Histoire ecclésiastique**, t. II. G. Bardy (réimpression, 1965).

42 bis. Jean Cassien : **Conférences**, t. I. E. Pichery (réimpression, 1966).

43. Jérôme : **Sur Jonas.** P. Antin (1956).

44. Philoxène de Mabboug : **Homélies.** E. Lemoine. Trad. seule (1956).

45. Ambroise de Milan : **Sur S. Luc**, t. I. G. Tissot (réimpr. avec suppl., 1971).

46. Tertullien : **De la prescription contre les hérétiques.** P. de Labriolle et F. Refoulé (1957).

47. Philon d'Alexandrie : **La migration d'Abraham.** R. Cadiou (1957).

48. **Homélies Pascales**, t. III. F. Floëri et P. Nautin (1957).

49 bis. Léon le Grand : **Sermons**, t. II. R. Dolle (1969).

50 bis. Jean Chrysostome : **Huit Catéchèses baptismales inédites.** A. Wenger (réimpr. avec suppl., 1970).

51 bis. Syméon le Nouveau Théologien : **Chapitres théologiques, gnostiques et pratiques.** J. Darrouzès. *En préparation.*

52 bis. Ambroise de Milan : **Sur S. Luc**, t. II. G. Tissot (réimpr. avec suppl., 1976).

53 bis. Hermas : **Le Pasteur.** R. Joly (réimpr. avec suppl., 1968).

54. Jean Cassien : **Conférences**, t. II. E. Pichery (réimpression, 1966).

55. Eusèbe de Césarée : **Histoire ecclésiastique**, t. III. G. Bardy (réimpression, 1967).

56. Athanase d'Alexandrie : **Deux apologies.** J. Szymusiak (1958).

57. Théodoret de Cyr : **Thérapeutique des maladies helléniques.** 2 volumes. P. Canivet (1958).

58 bis. Denys l'Aréopagite : **La hiérarchie céleste.** G. Heil, R. Roques, M. de Gandillac (réimpr. avec suppl., 1970).

59. **Trois antiques rituels du baptême.** A. Salles. Trad. seule. *Épuisé.*

60. Aelred de Rievaulx : **Quand Jésus eut douze ans.** A. Hoste, J. Dubois (1958).

61 bis. Guillaume de Saint-Thierry : **Traité de la contemplation de Dieu.** J. Hourlier (1968).

62. Irénée de Lyon : **Démonstration de la prédication apostolique.** L. Froidevaux. Nouvelle trad. sur l'arménien. Trad. seule (réimpr. 1971).

63. Richard de Saint-Victor : **La Trinité.** G. Salet (1959).

64. Jean Cassien : **Conférences**, t. III. E. Pichery (réimpr., 1971).

65. Gélase Iᵉʳ : **Lettre contre les Lupercales et dix-huit messes du sacramentaire léonien.** G. Pomarès (1960).

66. Adam de Perseigne : **Lettres**, t. I. J. Bouvet (1960).

67. Origène : **Entretien avec Héraclide.** J. Scherer (1960).

68. Marius Victorinus : **Traités théologiques sur la Trinité.** P. Henry, P. Hadot Tome I. Introd., texte critique, traduction (1960).

69. **Id.** — Tome II. Commentaire et tables (1960).

70. Clément d'Alexandrie : **Le Pédagogue**, t. I. H. I. Marrou, M. Harl (1960).
71. Origène : **Homélies sur Josué.** A. Jaubert (1960).
72. Amédée de Lausanne : **Huit homélies mariales.** G. Bavaud, J. Deshusses, A. Dumas (1960).
73 bis. Eusèbe de Césarée : **Histoire ecclésiastique**, t. IV. Introd. générale de G. Bardy et tables de P. Périchon (réimpr. avec suppl., 1971).
74 bis. Léon le Grand : **Sermons**, t. III. R. Dolle (1976).
75. S. Augustin : **Commentaire de la 1re Épître de S. Jean.** P. Agaësse (réimpression, 1966).
76. Aelred de Rievaulx : **La vie de recluse**, Ch. Dumont (1961).
77. Defensor de Ligugé : **Le livre d'étincelles**, t. I. H. Rochais (1961).
78. Grégoire de Narek : **Le livre de Prières.** I. Kéchichian. Trad. seule (1961).
79. Jean Chrysostome : **Sur la Providence de Dieu.** A.-M. Malingrey (1961).
80. Jean Damascène : **Homélies sur la Nativité et la Dormition.** P. Voulet (1961).
81. Nicétas Stéthatos : **Opuscules et lettres.** J. Darrouzès (1961).
82. Guillaume de Saint-Thierry : **Exposé sur le Cantique des Cantiques.** J.-M. Déchanet (1962).
83. Didyme l'Aveugle : **Sur Zacharie.** Texte inédit. L. Doutreleau. Tome I. Introduction et livre I (1962).
84. Id. — Tome II. Livres II et III (1962).
85. Id. — Tome III. Livres IV et V, Index (1962).
86. Defensor de Ligugé : **Le livre d'étincelles**, t. II. H. Rochais (1962).
87. Origène : **Homélies sur S. Luc.** H. Crouzel, F. Fournier, P. Périchon (1962).
88. **Lettres des premiers Chartreux**, tome I : S. Bruno, Guigues, S. Anthelme. Par un Chartreux (1962).
89. **Lettre d'Aristée à Philocrate.** A. Pelletier (1962).
90. **Vie de sainte Mélanie.** D. Gorce (1962).
91. Anselme de Cantorbéry : **Pourquoi Dieu s'est fait homme.** R. Roques (1963).
92. Dorothée de Gaza : **Œuvres spirituelles.** L. Regnault, J. de Préville (1963).
93. Baudouin de Ford : **Le sacrement de l'autel.** J. Morson, É. de Solms, J. Leclercq. Tome I (1963).
94. Id. — Tome II (1963).
95. Méthode d'Olympe : **Le banquet.** H. Musurillo, V.-H. Debidour (1963).
96. Syméon le Nouveau Théologien : **Catéchèses.** B. Krivochéine, J. Paramelle. Tome I. Introduction et Catéchèses 1-5 (1963).
97. Cyrille d'Alexandrie : **Deux dialogues christologiques.** G. M. de Durand (1964).
98. Théodoret de Cyr : **Correspondance**, t. II. Y. Azéma (1964).
99. Romanos le Mélode : **Hymnes.** J. Grosdidier de Matons. Tome I. Introduction et Hymnes I-VIII (1964).
100. Irénée de Lyon : **Contre les hérésies**, livre IV. A. Rousseau, B. Hemmerdinger, Ch. Mercier, L. Doutreleau, 2 vol. (1965).
101. Quodvultdeus : **Livre des promesses et des prédictions de Dieu.** R. Braun. Tome I (1964).
102. Id. — Tome II (1964).
103. Jean Chrysostome : **Lettre d'exil.** A.-M. Malingrey (1964).
104. Syméon le Nouveau Théologien : **Catéchèses.** B. Krivochéine, J. Paramelle. Tome II. Catéchèses 6-22 (1964).
105. **La Règle du Maître.** A. de Vogüé. Tome I. Introduction et chap. 1-10 (1964).
106. Id. — Tome II. Chap. 11-95 (1964).
107. Id. — Tome III. Concordance et Index orthographique. J.-M. Clément, J. Neufville, D. Demeslay (1965).
108. Clément d'Alexandrie : **Le Pédagogue**, tome II. Cl. Mondésert, H. I. Marrou (1965).
109. Jean Cassien : **Institutions cénobitiques.** J.-C. Guy (1965).
110. Romanos le Mélode : **Hymnes.** J. Grosdidier de Matons. Tome II. Hymnes IX-XX (1965).
111. Théodoret de Cyr : **Correspondance**, t. III. Y. Azéma (1965).
112. Constance de Lyon : **Vie de S. Germain d'Auxerre.** R. Borius (1965).

113. SYMÉON LE NOUVEAU THÉOLOGIEN : **Catéchèses**. B. Krivochéine, J. Paramelle. Tome III. Catéchèses 23-34, Actions de grâces 1-2 (1965).
114. ROMANOS LE MÉLODE : **Hymnes**. J. Grosdidier de Matons. Tome III. Hymnes XXI-XXXI (1965).
115. MANUEL II PALÉOLOGUE : **Entretien avec un musulman**. A. Th. Koury (1966).
116. AUGUSTIN D'HIPPONE : **Sermons pour la Pâque**. S. Poque (1966).
117. JEAN CHRYSOSTOME : **A Théodore**. J. Dumortier (1966).
118. ANSELME DE HAVELBERG : **Dialogues**, livre I. G. Salet (1966).
119. GRÉGOIRE DE NYSSE : **Traité de la Virginité**. M. Aubineau (1966).
120. ORIGÈNE : **Commentaire sur S. Jean**. C. Blanc. Tome I. Livres I-V (1966).
121. ÉPHREM DE NISIBE : **Commentaire de l'Évangile concordant ou Diatessaron**. L. Leloir. Trad. seule (1966).
122. SYMÉON LE NOUVEAU THÉOLOGIEN : **Traités théologiques et éthiques**. J. Darrouzès. Tome I. Théol. 1-3, Éth. 1-3 (1966).
123. MÉLITON DE SARDES : **Sur la Pâque (et fragments)**. O. Perler (1966).
124. **Expositio totius mundi et gentium**. J. Rougé (1966).
125. JEAN CHRYSOSTOME : **La Virginité**. H. Musurillo, B. Grillet (1966).
126. CYRILLE DE JÉRUSALEM : **Catéchèses mystagogiques**. A. Piédagnel, P. Paris (1966).
127. GERTRUDE D'HELFTA : **Œuvres spirituelles**. Tome I. Les Exercices. J. Hourlier, A. Schmitt (1967).
128. ROMANOS LE MÉLODE : **Hymnes**. J. Grosdidier de Matons. Tome IV. Hymnes XXXII-XLV (1967).
129. SYMÉON LE NOUVEAU THÉOLOGIEN : **Traités théologiques et éthiques**. J. Darrouzès. Tome II. Éth. 4-15 (1967).
130. ISAAC DE L'ÉTOILE : **Sermons**. A. Hoste. G. Salet. Tome I. Introduction et Sermons 1-17 (1967).
131. RUPERT DE DEUTZ : **Les œuvres du Saint-Esprit**. J. Gribomont, É. de Solms. Tome I. Livres I et II (1967).
132. ORIGÈNE : **Contre Celse**. M. Borret. Tome I. Livres I et II (1967).
133. SULPICE SÉVÈRE : **Vie de S. Martin**. J. Fontaine. Tome I. Introduction, texte et traduction (1967).
134. **Id.** — Tome II. Commentaire (1968).
135. **Id.** — Tome III. Commentaire (suite), Index (1969).
136. ORIGÈNE : **Contre Celse**. M. Borret. Tome II. Livres III et IV (1968).
137. ÉPHREM DE NISIBE : **Hymnes sur le Paradis**. F. Graffin, R. Lavenant. Trad. seule (1968).
138. JEAN CHRYSOSTOME : **A une jeune veuve. Sur le mariage unique**. B. Grillet, G. H. Ettlinger (1968).
139. GERTRUDE D'HELFTA : **Œuvres spirituelles**. Tome II. Le Héraut. Livre I et II. P. Doyère (1968).
140. RUFIN D'AQUILÉE : **Les bénédictions des Patriarches**. M. Simonetti, H. Rochais, P. Antin (1968).
141. COSMAS INDICOPLEUSTÈS : **Topographie chrétienne**. Tome I. Introduction et livres I-IV. W. Wolska-Conus (1968).
142. **Vie des Pères du Jura**. F. Martine (1968).
143. GERTRUDE D'HELFTA : **Œuvres spirituelles**. Tome III. Le Héraut. Livre III. P. Doyère (1968).
144. **Apocalypse syriaque de Baruch**. Tome I. Introduction et traduction. P. Bogaert (1969).
145. **Id.** — Tome II. Commentaire et tables (1969).
146. **Deux homélies anoméennes pour l'octave de Pâques**. J. Liébaert (1969).
147. ORIGÈNE : **Contre Celse**. M. Borret. Tome III. Livres V et VI (1969).
148. GRÉGOIRE LE THAUMATURGE : **Remerciement à Origène — La lettre d'Origène à Grégoire**. H. Crouzel (1969).
149. GRÉGOIRE DE NAZIANZE : **La passion du Christ**. A. Tuilier (1969).
150. ORIGÈNE : **Contre Celse**. M. Borret. Tome IV. Livres VII et VIII (1969).
151. JEAN SCOT : **Homélie sur le Prologue de Jean**. É. Jeauneau (1969).
152. IRÉNÉE DE LYON : **Contre les hérésies**. livre V. A. Rousseau, L. Doutreleau, C. Mercier. Tome I. Introduction, notes justificatives et tables (1969).

Hors série :

SOUS PRESSE

SOURCES CHRÉTIENNES

(1-239)

Également aux Éditions du Cerf :

LES ŒUVRES DE PHILON D'ALEXANDRIE

publiées sous la direction de

R. ARNALDEZ, C. MONDÉSERT, J. POUILLOUX

Texte grec et traduction française.

CET OUVRAGE A ÉTÉ ACHEVÉ

D'IMPRIMER EN JUILLET 1977

SUR LES PRESSES DE L'IMPRIMERIE

DE L'INDÉPENDANT A CHATEAU-GONTIER

DÉPOT LÉGAL - 3e TRIMESTRE 1977

EDITEUR N° 6794

Imprimé en France

DATE DUE

GAYLORD			PRINTED IN U.S.A.